BARTŁOMIEJ SAS

W KRAKOWSKIEJ MATNI

Historie detektywa Kellera

Redakcja:
Danuta Hernik

Korekta:
Natalia Kawałko i Elżbieta Wójcik

Projekt okładki:
Paweł Rosołek

Skład, przygotowanie do druku:
Typo2 Jolanta Ugorowska

Druk i oprawa:
Opolgraf S.A.

Wydawnictwo Trzecia Noga
ul. Sułkowskiego 2/2
01-602 Warszawa
tel. 22/403 4806
e-mail: wydawnictwo@trzecianoga.pl

ISBN 978-83-62885-03-9

Dystrybucja:
TROY, ul. Porcelanowa 13,
40-246 Katowice
tel. 32 / 258 95 79
www.troy.net.pl

Dedykowane wszystkim poległym
na polu walki z materią powieści kryminalnej

Dym i spaliny skutecznie przesłoniły gwiazdy. Łęg był nie tak znów daleko – jeszcze niewidoczny, to pewnie przez to... Huta nigdy nie odznaczała się czystym powietrzem. Albo może to chmury zawisły akurat nade mną. Trudno to było jednoznacznie stwierdzić o dziewiątej wieczorem. Na początku listopada o tej porze słońca dawno już nie ma, a światło latarń i blada poświata sącząca się z okien mieszkań uniemożliwiają kontemplację nieba.

Siedziałem na ledwo trzymającej się kupy ławce na Teatralnym. Albo gdzieś w okolicy. Miałem kiedyś ciotkę, która tam właśnie mieszkała. Tamtejsze bloki wyglądały dokładnie jak te tutaj. Ale, zważywszy, że wszystkie zabudowania w starszej części Huty wyglądają identycznie, zwłaszcza po zmroku, mogło to być dowolne okoliczne osiedle.

Zaciągnąłem się papierosem. Spojrzałem na zegarek. Ślęczałem tam już pół godziny. W tym czasie minęło mnie ośmiu kolesi wyglądających na potencjalnych gwałcicieli. Na szczęście byłem facetem. Albo raczej, na szczęście byłem niezbyt atrakcyjnym facetem, kto ich tam wie. Poza tym minęła mnie bliżej nieokreślona liczba ewidentnych złodziei. Ma się to oko zawodowca. Ale – znów na szczęście – nie mam drogich ciuchów. Spoglądali na mnie badawczo, ale nikt mnie nie zaczepił. Pół godziny. Niezły wynik, jak na tamtą okolicę.

Być może przyczyniły się do tego środki ostrożności, które podjąłem, nauczony doświadczeniem różnych nieszczęsnych debili, którzy beztrosko zapuszczali się w tamte rejony. Rozwaliłem się na ławce, paląc jednego za drugim, i starałem się wyglądać na możliwie najbardziej znudzonego wszystkim wokół, na kogoś, kto bywał nie w takich miejscach i nie w takim stopniu trzeźwości. No, może przesadzam, może siedziałem po prostu i czekałem na mojego aktualnego zleceniodawcę. Pewnie dramatyzuję, ale naprawdę wolałbym znaleźć się przy jakimś miłym kontuarze, w miłej knajpie, a obok mnie siedziałaby sobie jakaś miła panna, a po paru piwach byśmy... no, w jakiejś miłej knajpie w każdym razie.

Dokładnie dwadzieścia trzy po dziewiątej drzwi klatki schodowej otworzyły się i wyszedł z nich średniego wzrostu człowiek. Ciemny, dwudniowy zarost poprzetykany gęsto siwizną porastał mu dolną część twarzy. Rozejrzał się nerwowo. Nosił się raczej elegancko. Ja na co dzień garniturów unikałem. Pewnie dlatego, że jedyny, jaki posiadałem, nie miał rękawa. A to za sprawą pewnego cholernego pudla, ale to inna historia. Póki co, byłem tu, w Hucie, i moim zadaniem było ubezpieczanie, czy jak to tam nazwać, mojego zleceniodawcy.

– Ma pan wszystko? Znaczy, wszystko w porządku? – zawodowa solidność nakazywała mi przynajmniej pozorną troskliwość o sprawy klienta.

– Tak. Chodźmy.

– Chodźmy.

Szliśmy więc chodnikiem. On pół kroku przede mną, po prawej, ja za nim, udając, że wiem, na czym polega robota ochroniarza.

Adam Staszycki, Staszyński, czy Bogdan, czy jak tam mu było. Przyszedł do mnie w ostatni piątek. Powiedział, że potrzebuje ochroniarza. Stwierdził, że w najbliższym tygodniu kilka razy będzie musiał osobiście odebrać pieniądze od jednego kolesia w Hucie. Nie miał samochodu. Mój polonez nie był w najlepszej formie, ale jeździł, zakładając jednak szerokie pojmowanie definicji jazdy. Chciałem go zapytać, czemu nie skorzysta z którejś z sieci taryf, ale zanim zdążyłem, stwierdził, że za godzinę-dwie każdej eskorty zapłaci dwie stówki. Nie zamierzałem się targować.

Z tego, co się zorientowałem, kolo przyjechał do miasta niedawno. Nie wiem, kogo zdradzał lekki akcent, ale na pewno nie krakowianina. Wyglądał w każdym razie, jakby przyjechał z miejsca, gdzie na księdza wołają zorro. Ubierał się w garniaki i tym podobne, ale mordę miał niesłychanie buraczaną. Ostatnio mnie przycisnęło, więc nie wnikałem w legalność interesu, ale jak znam życie, sięgała zera. Zapytał, czy mam broń. Pomyślałem o którymś z noży kuchennych u mnie w domu i odparłem, że owszem, żeby się nie martwił.

Rok temu próbowałem zdobyć pozwolenie na ostrą giwerę, ale na testach psychologicznych miałem kaca i załatwili mnie odmownie. Chociaż to może nie przez kaca. Do dziś się zastanawiam.

– Nieciekawa ta okolica – stwierdził, odwracając się. – Uwierzy pan, że na klatce schodowej leżały dwa zużyte kondomy?

– Serio?

– Jak Bozię kocham. – W repertuarze miał więcej tego typu odzywek. – Pospieszmy się trochę.

– Jasne.

Samochód stał w przecznicy, bliżej nie było żadnych wolnych miejsc, a parkowanie tyłem nigdy nie było moją mocną stroną. Minęliśmy szybkim krokiem róg bloku. I wpadliśmy prosto na trzech łysych, każdy powyżej metra osiemdziesięciu. Nie wyglądali na roznosicieli ulotek o kursach tańca.

Staszycki, czy jak mu tam, wrył się nieomal obcasami w chodnik. I sparaliżowało go. Sam uciekać nie chciałem. To nie byłoby w porządku. Poza tym miał mi zapłacić dopiero, kiedy odstawię go pod jego mieszkanie. Ci trzej przed nami również się zatrzymali. Napięcie można było kroić nożem. Dość ciemno, najbliższa latarnia zepsuta.

Ten z lewej miał puste ręce. Ale na pierwszy rzut oka – nawet puste – w zupełności mu wystarczyły. Nawet na taką okolicę. Środkowy w opuszczonej prawej ręce dzierżył kij – bejsbola znaczy. A ten z prawej dzierżył coś innego. W tym półmroku trudno było się zorientować, co, ale z tych kilku kroków wyglądało to jak jakieś pieprzone nunczaku – czy jak to się nazywa – albo jakieś inne gówno, którym wywijają na tych wszystkich niskobudżetowych filmach karate z Hongkongu. Tam wszyscy goście mają wymalowane flamastrem wąsy i kopią tekturowe plansze przedstawiające napastników.

– Khre – wydusił mój zleceniodawca. Ukradł mi kwestię, sukinsyn.

– Obywatele tutejsi? – zapytał powoli ten bez broni. A raczej bez żadnych przedmiotów w dłoniach. – Hę?

– Niezupełnie – odparłem.

– Niezupełnie?

– Niech będzie, że tutejsi – rozwiałem, jak mi się zdawało, jego wątpliwości. Tymczasem mój towarzysz zaczął lekko, aczkolwiek zauważalnie, dygotać na całym ciele. Wyglądał tak, jak ja się czułem.

– Obywatelu – powiedział ten łysy. Ten łysy z nunczaku. Najwyraźniej próbował nadać swojemu głosowi ton łagodnego upomnienia. – Obywatelu. Odpowiadajcie, jak was grzecznie pytają.

– Toteż odpowiadam.

– Obywatelu, kurwa wasza...

– Przestań, Stasiu. Obywatel najwyraźniej ma nas za jakichś bandytów. Nieprawdaż? – To ostatnie było skierowane do mnie. – Wasze obawy, obywatelu, są jak najbardziej nie na miejscu. Jesteśmy członkami pepeesu – stwierdził, wskazując białą opaskę na ramieniu, którą spostrzegłem dopiero teraz. Widniały na niej pisane grubą czcionką duże ciemne litery: PPS.

No ładnie. Wytarłem dłonią nagle spotniałe czoło. Socjaliści na ulicach. Nawet więcej. Zorganizowane, uzbrojone, łyse grupy socjalistów. Nadzieja, że trafiliśmy na bandę uczciwych złodziei, opuściła mnie nagle niczym moja ostatnia kobieta. Bez uprzedzenia, nieoczekiwanie, kopiąc mnie centralnie w jaja.

Mój pracodawca dygotał na całego. Musiałem wziąć sprawy w swoje ręce.

– Towarzysze, znaczy, my tutaj przejazdem, znaczy, przechodzimy tylko – plątałem się w odpowiedzi. – Ale oczywiście popieramy waszą sprawę. Tyle tylko, że musimy już iść. I tak już jesteśmy spóźnieni.

Popatrzyli po sobie. Wszyscy trzej. „No, to teraz się zacznie" – pomyślałem.

– Świetnie, znaczy, cieszymy się – powiedział któryś. – Cieszymy się, że nas popieracie, obywatele. Bo bezpieczeństwo to sprawa najważniejsza.

– Bezwzględnie – odparłem. Za cholerę nie mogłem się połapać, o czym rozmawiamy. Bezpieczeństwo to sprawa najważniejsza? Kontekst chyba poszedł się odlać, bo nie potrafiłem go uchwycić. Moje rozmyślania zostały przerwane utratą przytomności mojego pracodawcy. Upadł do tyłu i nie ruszał się.

– To pewnie z nerwów – powiedziałem nieśmiało.

Konsternacja sięgnęła szczytów. Socjaliści stali, patrząc ze zdumieniem na leżącego. „Kurwa – przemknęło mi przez głowę – a może to przez raka czy jakąś arteriosklerozę". Nie miałem przy sobie lusterka, żeby mu przyłożyć do twarzy, czy coś w tym stylu. Czytałem kiedyś taki poradnik o pierwszej pomocy. Była tam mowa o lusterku – że gdzieś trzeba przyłożyć, jak ktoś zemdleje. Tak mi się przynajmniej wydawało.

Staliśmy tak czterej jak idioci, bez najmniejszego ruchu.

Karetka. Karetka! Wyciągnąłem komórkę – sprawiłem ją sobie niespełna tydzień temu. Doszedłem do wniosku, że klientom łatwiej będzie się ze mną skontaktować, kiedy nie będzie mnie w biurze, czyli średnio przez pięć dni w tygodniu. Wystukałem trzy dziewiątki i, pytając o lokalizację socjalistów, którzy wciąż stali nad leżącym, poprosiłem o szybką interwencję. W odpowiedzi pani w słuchawce zaśmiała się głośno i przerwała połączenie.

Tymczasem mój pracodawca jęknął, otworzył oczy, przewrócił się na brzuch, wstał z trudem, powiódł po trzech łysych błędnym wzrokiem, odwrócił się i pobiegł, ledwo utrzymując równowagę. Spieprzył, zostawiając mnie sam na sam z socjalistami. Podłość ludzka nie zna granic.

– To lekarze z karetki się chyba wkurzą – stwierdził ten z nunczaku.

– I tak pewnie nie przyjadą – odparłem.

Pokiwali głowami w zamyśleniu.

– Obywatelu, jakby pan zauważył jakieś niepokojące zjawiska na osiedlu, to prosimy zwrócić się do nas.

– Nie omieszkam.

Niepokojące zjawiska? Dajmy na to liberałów? Nie odważyłem się zapytać.

– To nasza wizytówka z telefonem kontaktowym. Dwadzieścia cztery godziny na dobę.

– Dwadzieścia cztery. Rozumiem. – Bardzo mało rozumiałem. Ten z lewej wręczył mi mały kartonik.

Czarną dużą czcionką wypisane było na nim: „Pokojowy Patrol Sąsiedzki", poniżej numer telefonu, komórka, a na samej górze widniało: „Policja to banda nieudaczników! My, obywatele, weźmy sprawy w swoje ręce!".

Minęli mnie i poszli patrolować dalej. Stałem tak sam, nie bardzo wiedząc, śmiać się czy co, więc postanowiłem pójść się napić. To zawsze skutkuje, kiedy świat przygniata człowieka brzemieniem dwuznaczności, kiedy czerwone tak naprawdę jest bladoniebieskie, a kurwy na rogu okazują się najporządniejszymi kobietami w okolicy.

Poszedłem żwawym krokiem, bo zza rogu rozległ się modulowany dźwięk syreny karetki. Nie miałem ochoty na pavulon, tylko na piwo. Jak nie są potrzebni, to zjawiają się natychmiast.

Najlepszy detektyw w tym mieście, a ostatnimi czasy wśród klientów żadnego normalnego.

Poniedziałek zaczął się całkiem przyjemnie, zrobiłem sobie dwa jajka na miękko i popiłem kawą. Była 12.46. Ostatnio przestawiłem się na życie raczej nocne. Idę spać koło czwartej, wcześniej nie potrafię zmrużyć oka. Jako osoba nierozrywana towarzysko, w weekendy zazwyczaj popijam w domu. Jeśli chodzi o pieniądze, ostatnio trafiają się nieźle płatne i niedorzeczne zlecenia. Żadnych alimentów płacić nie muszę. Potomstwa chyba nie mam. Chociaż możliwe, że jednak tak, tylko matka (matki) nie chce (nie chcą) mieć ze mną nic wspólnego, nawet alimentów.

Miałem godzinę do umówionego spotkania z klientem. Nie chciał przyjść do biura, nalegał, abym przyszedł do jednego lokalu. I bardzo dobrze. Lokale są w porządku. Wziąłem prysznic, ubrałem się w najmniej wymięte ubranie i wyszedłem. Samochody poruszały się w porywach do pół kilometra na godzinę. Postanowiłem pójść na piechotę. „Dobrze ci zrobi trochę ruchu, Keller".

Szedłem i szedłem. Szedłem i szedłem. Strasznie duże to miasto, jak się nie jest przyzwyczajonym do spacerów. Szedłem i szedłem. A potem wyszedłem na aleje i wpakowałem się prosto na jakiś wiec. Czy raczej pochód. „Górnicy?" – myślałem, wpadając na sunącą masę ludzi. Szli gęstym tłumem w kierunku Wisły. Wryłem się w chodnik, z prawej dobiegła mnie muzyka. Czy raczej pulsujący rytmem technoszajs. Górnicy i techno party? No i gdzie niby mieli się napierdzielać z policją? Pod Centrum Kultury Japońskiej? Nie mieliśmy tu żadnych organów ustawodawczych. Trwało to ze trzy sekundy, zanim pojąłem swoją pomyłkę. Żadnych kilofów, a raczej stylisk, żadnego pyłu węglowego.

– Zapraszamy do nas, ptysiu! – Półnagi koleś w skórzanych gatkach przejechał mi dłonią po gębie. – Idziesz z nami?

Targnąłem się iście tygrysim skokiem do tyłu, gdyż nie mam, powtarzam, nie mam życzenia być głaskanym gdziekolwiek przez półnagiego buca w skórzanych gaciach, zresztą, przez żadnego półnagiego buca. Targając się tygrysio, przypieprzyłem plecami w ścianę kamienicy na rogu. Ktoś zaśmiał się przede mną. Ten nie był półnagi, za to miał na sobie różowy, koronkowy biustonosz. Zaraz za nim szło dwóch obejmujących się. Jeden w skórzanej kamizelce, zarośnięty, drugi w małej czarnej, à la Audrey Hepburn. „To profanacja" – pomyślałem. Nad ich głowami, nieco z tyłu, rozpościerał się transparent: „HOMO ZNACZY CZŁOWIEK". Tuż za nim: „GAY ZNACZY SZCZĘŚLIWY" i „EINSTEIN BYŁ GEJEM A CURIE-SKŁODOWSKA LESBIJKĄ".

„O w mordę" – pomyślałem. Oberwałem boa w kolorze świńskiego różu. Boa, czy jak to się nazywa, taki puchaty długi szalik, którym zamiatał (zamiatała?) wokół siebie uszminkowany kurdupel na szpilkach.

Co to jest? Gdzie jest policja? „POLICJA TEŻ JEST Z NAMI!" – bujał się kolejny transparent gdzieś pośrodku ludzkiej rzeki. Nie dało się spod mojej ściany zauważyć, kto go taszczył. No ładnie. Poczułem pot na skroniach. Coś zaczynało mi świtać, coś zaczynałem sobie przypominać, jakieś artykuły w prasie, i w tym samym momencie przez megafon rozdarł się zachrypnięty głos:

– Krakowianie! To jest parada równości! Przyłączcie się do nas! Postawmy wspólnie pałę, parrrdą, tamę nietolerancji i seksualnemu faszyzmowi!

Przywarłem mocniej do ściany, kładąc szczególny nacisk, dosłownie, na dupę (moją, rzecz jasna). Trochę ich było, dobrych parę stów, może ponad tysiąc. Wystarczyło, aby poczuć się osaczonym. Cholerna parada równości. Człowiek nie powinien z góry na dół olewać środków masowego przekazu, bo może wyjść na miasto i natknąć się na tego typu imprezę.

– Ech, ty byku! Ćwiczysz? – Ten z kolei ubrany był zwyczajnie, dżinsy i koszulka, ale za to na jego głowie, chyba w charakterze kapelusza, sterczał w niebo gumowy kutas w pełnej, że się tak wyrażę, formie. Sterczał i telepał się na wszystkie strony. – Poćwiczymy razem? – mrugnął do mnie właściciel tego czegoś.

Zebrałem do kupy wszystko, co mogłoby mi pomóc w sformułowaniu riposty na taką uwagę, w takich okolicznościach. Więc: posiadane wykształcenie, lata spędzone na ulicach c.k. Krakowa, parę przeczytanych książek, niemałą wrażliwość oraz niebanalny iloraz inteligencji.

Odpowiedź nasuwała się sama: trzeba spierdalać. Tego z przyrodzeniem na głowie na szczęście porwał niepowstrzymany nurt tłumu, zniknął dzięki Bogu szybciej, niż się pojawił.

Przytrzymałem się myśli o ucieczce niczym brzytwy i popełzłem wzdłuż ściany w kierunku przecznicy, starając się plecami przylegać cały czas do bezpiecznego, usyfionego wieloletnim osadem spalin tynku. Przepełzłem za róg. Nikt mnie nie zaczepiał. Potem parę kroków tyłem, odwrót i w długą. Słyszałem za plecami wóz, czy co tam mieli, ze sprzętem grającym, jak przetoczył się przez skrzyżowanie. Wpadłem w pośpiechu za pierwszy róg. I wpadłem na kiboli.

Stali w bliżej niezorganizowanych grupkach tu i tam, na chodnikach i ulicy, skutecznie blokując wszelki ruch. Stu, może ze stu dwudziestu na pierwszy rzut oka, ale widziałem, że dochodzą następni. Że to kibole, jasne było jak słońce. Poza tym moje fachowe oko, obyte tu i ówdzie wśród rynsztoków naszego pięknego miasta, nie mogło się mylić – te sportowe ubiory, te sportowe sylwetki. Jak również pały i kamienie w dłoniach. Rozmawiali cicho, stojąc, jak już nadmieniłem, w grupkach. Gdzieniegdzie prześwitywały barwy klubowe. O ile mnie wzrok nie mylił, a nie piłem nic poważniejszego od rana, byli tu przedstawiciele wszystkich krakowskich klubów, wszyscy najwyraźniej znali się lepiej lub gorzej.

W końcu bezpieczny poszedłem, lawirując między co roślejszymi osobnikami. Niebieskie, białe, czerwone, białe, czerwone, białe i niebieskie, i jeszcze parę innych barw klubowych mieszało się ze sobą, bez żadnych gwałtów i ekscesów. Trzeba mieć jakieś priorytety w końcu.

Dotarłem do knajpy przed czasem. Był to lokal z gatunku tych, o których nie myślą skazańcy w celi śmierci wybierający sobie ostatni posiłek. Przynajmniej browar nie był autorstwa ich kucharza. Czekając na klienta, siedziałem w kącie i popijałem.

Przyszedł mniej więcej o czasie, ciemne okulary i filcowy kapelusz, tak jak mówił przez telefon. Podniosłem rękę i ruszył w moim kierunku, tak jak i kelnerka. Była pierwsza, dzięki Bogu, więc zamówiłem łyskacza i piwko. Kowboj płacił – miałem nadzieję.

Usiadł przodem do ogółu. Zlustrował salę, potem mnie.

– Nie chciałem spotykać się u pana w biurze – mówił jakoś dziwnie, jak gdyby dopiero niedawno posiadł tę umiejętność. – Cholera wie, czy ktoś nie filuje na wchodzących, w końcu różne męty się pewnie u pana zjawiają.

Co racja, to racja. Popiłem. Kapelusz zsunął mu się na potylicę, a w kącikach ust wystąpiła piana. Następny, kurwa, świr.

– Poza tym, nie chodzi o moją żonę, że mnie zdradza, jak mówiłem przez telefon. – Pochylił się nad stołem, zniżając głos do szeptu. – Nie może się puszczać, bo nie żyje – szeptał teraz cichutko, cyzelując każdą sylabę.

– No, to sprawa chyba rozwiązana? – spytałem, lustrując pośladki przechodzącej obok kelnerki.

– Panie... – Pochylił się jeszcze bardziej. Strużka śliny pociekła mu z kącika ust. Chwyciłem piwo i odsunąłem poza jego zasięg. Cały czas szeptał i rozglądał się podejrzliwie wokół. – Panie! Zabili ją. Jasne? Została ZA-MOR-DO-WA-NA.

– Jasne – westchnąłem. Wszyściutko jasne. Trza będzie samemu zapłacić.

– Taa, powiedzieli mi, że sama weszła pod ten autobus, no i że jeszcze miała wypite. – Teraz właściwie już leżał na stole, oddech miał kwaśny. – Panie! U nas w domu się nie piło! Wierzy mi pan?

– Jak rodzonemu bratu. – No, jedynym bratem, jakiego spotkałem w życiu, był brat Barnaba od Dominikanów, dla którego prowadziłem sprawę kradzieży datków na rzecz ofiar klęsk żywiołowych. Bardzo ciekawe zlecenie, bardzo ciekawe.

– Dorwali ją ci ze służb specjalnych. TA CHOLERNA UBECJA! SZANTAŻUJĄ MNIE I MI GRO-

ZILI, A TERAZ TO! – Zapalał się coraz bardziej, chwycił mnie za przedramię i mocno ścisnął. Ludzie wokół zaczęli rzucać nam dziwne spojrzenia...

– Ubecja? Wie pan, mamy nowy wiek, nowe służby, czwarta RP czy która tam i w ogóle... Podobno... – Dopiłem łyskacza, czas się ulotnić. Piwko mogłem odżałować.

– Podobno? PODOBNO? – Puścił moją rękę i cofnął się razem z krzesłem. – Wiedziałem, że nikomu nie można ufać w tym kraju! Ty też jesteś z nimi! Z NIMI!

– Jasne – stwierdziłem, kładąc na stole dychę i piątkę. – Jasne.

– CHOLERNE KOMUCHY! – wydarł się, podrywając się na nogi. Chwycił leżącą dychę i zaśmiewając się jak szaleniec, pomknął między stolikami ku wyjściu. I tyle go widzieli.

Osłupiałem, bo nic innego mi nie zostało. Jakaś paniusia patrzyła na mnie z politowaniem, widać brała mnie za kolegę tamtego porypańca. A może nie dlatego. Uśmiechnąłem się do niej możliwie najpaskudniej, po czym dokończyłem piwo i wydobyłem z dna portfela kolejną, samotną tym razem dychę.

„Chryste – pomyślałem – mamy listopad, a od maja, albo wcześniej nawet, nie trafiła się żadna sprawa na jako takim poziomie. Nic, tylko wariaci, alfonsy, studenci, schizofrenicy i onaniści. Czwarta, kurna, RP".

Następnego dnia siedziałem bezczynnie w biurze. Słuchałem radia i rzucałem papierowymi kulkami do kosza na śmieci. Wpadała jedna na osiem. Na świecie niewiele się działo. Kilka wojen, tu powódź, tam pomór bydła. Z lepszych wiadomości trafiło się jedynie zejście jednego z zamorskich „artystów" estrady. Świeć Panie nad jego duszą. Tylko nie pozwól mu dorwać się do mikrofonu.

Siedziałem i pierdziałem w stołek. Zero akcji, strzelanin, pogoni, bijatyk, orgii na tropikalnych plażach. Każdego dnia życie przecieka nam między palcami jak piasek, kurwa, jak piasek, na którym to inni tarmosili panienki. Zamiast zająć się czymś sensownym, traciłem czas w dziurze, która dla niepoznaki nazywała się moim biurem. Taa, widać trza mi było uważać na lekcjach. Kolejny raz spudłowałem. Zaschło mi w gardle, a szafka świeciła pustymi butelkami. Trzeba było ruszyć dupsko. Wtedy ktoś zapukał dwa-trzy razy, po czym energicznie pchnął drzwi.

W każdej szanującej się opowieści o prywatnym detektywie długonogie blond bądź kruczowłose dziewoje trafiają do jego biura i takim to sposobem rozpoczynają się wszystkie porządne kryminały. Potem ów detektyw z dziarskim błyskiem w oku oraz pewnym chwytem rękojeści swego rewolweru rozwiązuje każdą zagadkę, przy okazji rozdając kilka klapsów kształtnym pośladkom przewijających się w trakcie śledztwa dupencji. Lala z początku intrygi przeważnie, ma się rozumieć, ląduje w jego wyrku. Obawiałem się jednak, że taka historia to to nie była. O ile panią, która pojawiła się w moim biurze tamtego ponurego poranka, mógłbym lizać wszędzie przez pięć bądź osiem godzin bez przerw na posiłki, o tyle ona zamiast tego zapewne wolałaby być stratowana przez rannego hipopotama. Z wrażenia tak się rozregulowałem, że ostatnią kulką trafiłem bezbłędnie w sam środek kosza.

Szła od drzwi, a ja jakbym słyszał solówę z *Don't Believe a Word* grupy Thin Lizzy. Orgazm bez fatygi. W tych obcisłych ciuchach wyglądała tak, jakby całymi dniami nie zajmowała się niczym innym poza wcinaniem włoskich makaronów. W przerwach pomiędzy treningami fitnessu. Cóż, mogłem sobie przynajmniej popatrzeć. Nie miałem najmniejszych szans, niczym nastolatka w Alcatraz. Albo nastolatek.

Podeszła i usiadła po drugiej stronie biurka. Wszystkim karaluchom w biurze stanął. Powietrze zrobiło się gęste. Miałem tylko nadzieję, że przez kaca nie wyglądam na opóźnionego w rozwoju. Nie ma gorszej reklamy dla detektywa.

– Ma pan ogień? – spytała, lubieżnie wyciągając fajkę. Papierosa, znaczy, z torebki.

„Laluniu, dla ciebie rozpalę na nowo stosy inkwizycji" – pomyślałem. Odpaliłem jej z mojego zippo. Początek, jak się patrzy.

– Dzięki. Próbowałam się do pana dodzwonić, ale telefon z ogłoszenia nie działa. Nie ma takiego numeru. No to pomyślałam, że podjadę i wpadnę.

Niech będzie pochwalony Allah, Jahwe i wszyscy ich kuzyni za niezapłacenie kolejnego rachunku. Czułem, kurwa, czułem, że musi z tego wyniknąć coś pozytywnego. Zapaliłem swojego lucky strike'a i zaciągnąłem się głęboko, wypuszczając pióropusz dymu.

– Co panią do mnie sprowadza?

– Zaczynam podejrzewać, że pech – stwierdziła. Po czym, zarzucając głową, ślicznymi usteczkami wydmuchała kłąb dymu. Fala czarnych włosów podnieciła mnie, samce karaluchów, krzesło, sufit, przechodniów za oknem, kamienice, chmury, oceany, lądy i WIG20. Giełda poszybowała w Himalaje. Żadne z nas nie miało innego wyjścia. – To jest pańskie biuro?

Powiodłem wzrokiem za jej spojrzeniem. Nie jestem perfekcyjną panią domu. A z tymi karaluchami to nie był tylko chwyt retoryczny.

– Sprzątaczka ma urlop. Pojechała opalać się do Jastarni, a ja siedzę tu jak niemowlak z tygodniową pieluchą na tyłku.

– Teraz w listopadzie to już lepiej na bojery.

– Sam jej to mówiłem. – Zaciągnąłem się, próbując wyglądać profesjonalnie. Rozmowa nie szła tam, gdzie powinna.

– No to w czym, wyjąwszy pecha, mogę pani pomóc?

– Chodzi o odnalezienie człowieka.

– W niczym innym się nie specjalizuję, droga pani. – Mrugnąłem do niej jednym i drugim okiem, po kolei, błyskawicznie. Mimowolnie.

– Proszę się nie zachowywać jak cofnięty w rozwoju – powiedziała. – Polecił mi pana doktor Niewodniczański. Zapewniał, że można na panu polegać.

Taa, Niewodniczański był moim klientem z rok czy trzy lata wcześniej. Prowadziłem dla niego sprawę porwania jego pieska przez gang kręcący brzydkie filmy ze zwierzątkami. Albo może była to sprawa podrabianych win Chateauneuf-du-Pape sprzedawanych spod lady w osiedlowym sklepiku na Ruczaju. Albo to był jeszcze inny doktor, filozofii czy czegoś. Nie miałem pewności. Tak czy siak, miło z jego strony, że mnie polecił tak miłej pani.

– I miał rację, droga pani. Wiele przeszliśmy z doktorem Niewodniczańskim, więc wie, co mówi.

Popatrzyła na mnie jakoś tak dziwnie, ale nic nie powiedziała.

– Jakiego człowieka? Kogo mamy znaleźć?

Wyjęła z torebki i położyła na biurku gazetę. Dziennik, sprzed dwóch, dwóch i pół miesiąca, otwarty na stronie z nekrologami. Jeden był zakreślony.

– Tego to już daleko chyba szukać nie trzeba? – zerknąłem na nią, ale nie, poważna była jak u dentysty.

– To mój mąż.

– Chyba były... – Nekrolog dotyczył niejakiego Piotra Niestroja. Urodził się, syn rodzicom, mąż żonie, ojciec dzieciom, szef podwładnym, przyjaciel, zięć i takie tam. Klepsydra i wieńce wokół. Świętej pamięci. Data zgonu: 12 września br. Pogrzeb tu i tu, wtedy i wtedy. No, trochę się już kisił.

– Droga pani, moja stawka godzinowa wynosi dwadzieścia złotych brutto. Pani tu poczeka, pomyśli o życiu wiecznym albo o możliwościach, które stawia świat przed tak młodą i, niech mi będzie wolno zauważyć, ponętną wdową. Pani poczeka, ja skoczę na cmentarz, znajdę kurhanik biednego pana Piotra, a wracając, zdążę jeszcze wtrząchnąć hamburgera czy coś, bo mnie trochę ssie od rana. W godzinę się wyrobię. Nie musi pani wychodzić, zaufanie to podstawa w tym fachu.

– Prosiłam, żeby się pan nie wydurniał. – Poruszyła się niespokojnie, a wraz z nią zafalowało wszystko, co miała pod sweterkiem. Kontemplowałem to cudne tsunami, aż żar z papierosa poparzył mi palec. – I niech się pan przestanie gapić. Nic nadzwyczajnego tam nie ma. Chryste, potrzebuję fachowej pomocy!

Otrzeźwiałem nieco.

– No tak, tak. Znaczy, mam zlokalizować umarlaka, dobrze rozumiem?

– Zaczynam wątpić, że cokolwiek pan rozumie. – Zgasiła papierosa w popielniczce w taki sposób, że momentalnie chciałem podsunąć jej wszystkie swoje członki. Tu, gaś tu, na mnie, byłem niegrzeczny... – Nie trupa, tylko mojego byłego. Zrobił mnie w konia, wszystkich nas zrobił. To nie jego pochowaliśmy. Mówiąc kolokwialnie, wykiwał mnie na cacy!

– Na cacy?

– Zaczyna pan mówić do rzeczy. Widzi pan, panie Maurer...

– Keller. Nazywam się Filip Keller.

– Widzi pan, panie Keller, w grę wchodzą większe pieniądze. Większe. Sądząc po tym, co zobaczyłam do tej pory, nie wiem, czy dobrze mnie pan zrozumie.

– Sprzątaczka...

– Zostawmy pańską sprzątaczkę. Jestem jego żoną. Od dwóch lat w separacji. Brak dzieci, kredytów, wakacji nad polskim morzem. Słowem, modelowe małżeństwo wyższej klasy średniej. Albo niższej klasy wyższej. Domek na przedmieściach, piesek, bidet, architekt zieleni, znajomi, praca, to znaczy mąż zarabiał dobrze, ja nie musiałam pracować, no słowem, udany związek.

– I bardzo pani gratuluję. – Papieros mi się skończył, odpaliłem odruchowo kolejnego. Baba sprzyjała nałogom.

– I nigdy, nigdy mi przez myśl nie przeszedł rozwód. Jestem w końcu katoliczką. – Ona za to zaciągnęła się może raz podczas całej tej gadki. Wystarczyło, żeby dopaliła go do końca. Ogień widać też podniecała, jak się patrzy. – Nie opowiadam panu historii swojego życia dlatego, że taki pan sympatyczny. Chcę uniknąć zbędnych pytań. W ogóle chcę uniknąć pytań. Maluję panu ogólny obraz, to wszystko. Jasne?

– Nasz klient, nasz per pan. Napije się pani czegoś? – Myślałem bardziej o sobie niż o niej.

– Dziękuję. Nie, dziękuję – dodała, kiedy otworzyłem szafkę w nadziei, odruchowo, atawistycznie. Bo tam przecież pustki, nic, null. *Niente*, Kalahari. – I żeby była jasność, nie życzę sobie, a wręcz domagam się, aby – jeśli zdecyduję się na pana usługi, naturalnie – nie pił pan żadnego alkoholu w godzinach pracy. To obrzydliwe i nieetyczne. O jakiejkolwiek pracy byśmy nie mówili. Sama w ogóle nie sięgam po alkohol.

Nie bardzo widziałem, czy już od razu ostentacyjnie wybiec po coś mocniejszego, czy dać sobie jeszcze na wstrzymanie. Życie co rusz stawia człowieka wrażliwego na rozstaju dróg. Dalsza trzeźwa rozmowa z tą rozerotyzowaną abstynentką mogła mieć zgubne skutki dla wszystkich w okolicy. Dla mnie – to pewne.

Musiałem wyglądać niewyraźnie, bo bodaj pierwszy raz uśmiechnęła się, odsłaniając ząbki i przejeżdżając po nich językiem. No, nie przesadzam, poczułem ciasnotę w spodniach.

– Tak jak mówiłam, musi pan go odnaleźć. Upozorował śmierć i uciekł z moimi pieniędzmi. – Machnęła nerwowo długimi nogami, zamieniając je miejscami w pozycji identycznej jak Rysterowa w *Wielkiej grze*, a sukienka podjechała jej aż do podwiązek. Ślinotok był u bram. Tak rajcownej kobitki nie było w tych murach od ich wzniesienia.

– Ale po kolei. Pół roku temu wyjechałam na Florydę, bo Piotr, chyba nie wspominałam jego imienia, mój mąż Piotr nie bardzo mógł zrobić sobie przerwę w pracy, wie pan, firma wymagała ciągłego nadzoru. Chcieliśmy kupić domek w Miami Beach, taki do jesiennych wypadów.

– Do jesiennych wypadów. Tak jest. Rozumiem.

– Panie Keller, nie przyszłam do pana, aby wysłuchiwać potakiwań. Potrzebuję fachowej pomocy.

– Oczywiście. Ma się rozumieć. *Credo* naszej firmy to „Chroń i pomagaj". Misja. Misja naszej firmy.

Westchnęła, patrząc gdzieś ponad moją głową. Z tego, co byłem w stanie zauważyć, gdyż wlepiałem wyposzczony wzrok w granicę między cielistym nylonem a bladą skórą uda.

– Kupiliśmy już wcześniej apartament pod Niceą, ale strasznie dużo tam Rosjan. Nie da się dłużej wytrzymać. Potrzebowaliśmy odmiany. No i poleciałam do Stanów, żeby porozglądać się na miejscu. Zabawiłam tam trochę dłużej, niż było przewidziane, widzi pan, to taki piękny kraj... Był pan kiedyś za oceanem?

Oczekiwała odpowiedzi...

– Cóż, rozwój kariery na zachodzie uniemożliwiły mi liczne obowiązki na krajowym podwórku. – Co do braku wakacji w Stanach, poza brakiem gotówki, chodziło mi głównie o te ich czyrakowate procedury wizowe. Zawsze uważałem, że w ramach rewanżu powinniśmy wprowadzić wizy dla wszystkich mężczyzn *made in America*. Oraz dla kobiet powyżej siedemdziesięciu kilo.

– Polecam, to piękny, piękny kraj. Wracając do sprawy, bawiłam już tam trochę (Patrzyłem na te nogi i myślałem, że dałbym sobie obciąć mały palec u lewej nogi za to, że zebrałoby się niewielką ligę bejsbolu z tych wszystkich kolesi, którzy tam za oceanem zaczynali się ślinić na samo wspomnienie tej polskiej dupencji. A może byłem zbyt wyposzczony. Może przez ten czas zwiedzała Wielki Kanion. Tak. I jeszcze rzut oka na to, gdzie kończyła się jej sukienka. Ktoś na stówę zwiedzał już ten kanion. Ale moje szanse były równie wielkie jak na otrzymanie ich wizy.), aż we wrześniu dostałam wiadomość, która zwaliła mnie z nóg. Mój mąż popełnił samobójstwo. Samobójstwo! Mój misiu! Od razu wiedziałam, że coś tu nie gra.

– Telegram? List?

– Przedzwoniła do mnie moja teściowa. Straszna kobieta, straszna. Byłam w Miami... jak już wspominałam. A ona dzwoni do mnie, że się powiesił. I że jutro pogrzeb! Wyobraża pan sobie? A nawet nie wydawała się zmartwiona... Przyleciałam tak szybko, jak to było możliwe. A tu już po pogrzebie, po wszystkim. A oni mi mówią, że w testamencie wszystko zostawił mamusi. Tak się wyraził ten prawnik: MAMUSI. Nawet mi go pokazali, no i faktycznie wszystko jej przepisał.

– I zostawił panią golusieńką? – Uśmiechnąłem się do samej już myśli.

– Dokładnie. Poleciałam do banku, hasła pozmieniane. Sprawdziłam lokaty, wszystko wyczyszczone. Poleciałam na cmentarz, grób jest, świeże kwiaty, znicze. Wszystko jak trzeba. Ale ja w to nie wierzę. Na pewno uknuli to z tą wstrętną babą. Sfingowali pogrzeb, przekupili lekarza, księdza, prawnika, wszystkich!

– Sfingowany pogrzeb? O trupa może i nietrudno, ale wie pani... formalności...

– To wszystko było ukartowane! Wzięli ubezpieczenie, pieniądze, dom, samochody! Wszystko! I teraz pewnie śmieje się gdzieś na plaży na Karaibach.

– Cóż, jeśli trzeba udać się na poszukiwania na Karaiby, chyba znajdę ze dwa tygodnie w terminarzu.

– To taka przenośnia, panie Keller.

– No tak. Oczywiście.

– On tu gdzieś musi być. Jak nie tu, to w Warszawie. Albo w Poznaniu czy gdzie indziej. Ale w końcu to pan jest detektywem. Niech go pan znajdzie, a potem ja już się do niego dobiorę!

„Zacznij ode mnie, laluniu" – myślałem i już wiedziałem, że to będzie cholernie ciężka sprawa. Ale i tak ją wezmę, bo w końcu fachura ze mnie jak mało kto. Taa. Najlepszy detektyw w mieście. Bo jedyny.

– Ma pan tu dwie stówy zaliczki. Jeśli go pan znajdzie, dokładam tysiąc.

– Koszty...

– Koszty też, ale w rozsądnych granicach. Żadnych wyjazdów na Karaiby. Nekrolog pan ma, to kilka jego zdjęć. W miarę aktualne. Tu spisałam jego PESEL i adresy matki, adwokata i mojej szwagierki. Ona na pewno jest z nimi w zmowie. Tu moja wizytówka i numer telefonu. Aha, byłam już na policji, ale byli dość nieprzyjemni.

– Jak to policja.

– Tak na dobrą sprawę to mnie wyśmiali. No. Więc liczę na pana, panie Maurer.

– Keller.

– Proszę o raport pod koniec tygodnia. Żegnam.

I wyszła.

A zaczynałem się rozkręcać. Dowcip tu, dowcip tam, zręczne pokierowanie rozmową. I w końcu może zdołałbym przypadkiem otrzeć się o jej tyłek czy co. Szans na pełny stosunek nie miałem większych, niż chomik na przeżycie na środku Atlantyku. A tak, zostałem z dwiema stówkami w garści i pustką we łbie. Popatrzyłem na pieniądze leżące na biurku. Cześć Władek, dawno się nie widzieliśmy. Taa. Miałem tylko nadzieję, że nie będę musiał rozkopywać tego cholernego grobu i pobierać jakichś próbek tkanki czy coś. Bo co niby z nimi miałbym robić, do kurwy nędzy? Pooglądać pod lupą? Cóż, przynajmniej czasowo nie byłem bezrobotny. Trzeba było zabierać się do pracy. Zgarnąłem kasę ze stołu, wrzuciłem katanę na grzbiet i wyszedłem.

Knajpa była za rogiem. Wszedłem i usiadłem na stołku przy barze. Lokal był chyba rówieśnikiem mojego starego. Mogłem się założyć, że od kiedy przyszliśmy na ten piękny świat, jedyne, co było w nim zmieniane, to beczki piwa, flaszki pełne na puste oraz rolki papieru w toalecie. No, flaszki i kegi na pewno.

– Setę. I piwo – poprosiłem. Napoje wylądowały przede mną. Nie pozostawiłem ich samym sobie...

Zaraz zrobiło mi się lżej na duszy, obowiązki zawodowe już trochę mniej ciążyły. Rozejrzałem się po lokalu. Ze stałych bywalców na liście obecności mogliśmy się podpisać ja i barman. Poza nami były ze cztery osoby: dwóch gówniarzy popijających piwo w kącie oraz dwie panie w wieku mocno zaawansowanym. Mieściłem się w średniej.

Machałem właśnie na barmana, żeby nie zaniedbywał swoich obowiązków, kiedy do środka wparował Kudłaty z jakimś drugim gościem. Od kiedy upadła jego wypożyczalnia pornosów na VHS-ach, zajmował się różnymi pierdołami, byle nie skończyć na jakimkolwiek etacie. „DVD nie ma przyszłości – mawiał. – Te nowinki technologiczne to sam marketing". Ale poza tym był nieszkodliwy. Rozejrzał się po lokalu i ujrzawszy mnie, ruszył w moją stronę. Ten drugi wyglądał na aktora mocno charakterystycznego. Metr osiemdziesiąt, łysa glaca z kępkami siwizny nad uszami, grube szkła okularów, lewe oko mocno zezowało. Łapę miał za to konkretną. Jean-Paul Sartre na sterydach. Podeszli do baru i usiedli na stołkach, po obu moich stronach. „Co jest, kurna? – pomyślałem. – Parada równości już przeszła, co nie?" – Wypiłem wódkę, przepiłem piwem. Cóż, wypadało wysłuchać bliźniego, skoro już się przysiadł. Poza tym liczyłem na darmowy replay zestawu obowiązkowego.

– Cześć, Filip. W biurze cię nie było – rzucił Kudłaty. Sartre, póki co, siedział cicho, nie licząc chorobliwego sapania.

– No cześć. – Kiwnąłem ręką na barmana. Przydreptał i czekał. Popatrzyłem na Kudłatego i czekałem. I czekałem.

– Dla pana jeszcze raz to samo – powiedział Sartre. – Dla mnie whisky. Wszystko jedno jaka, bez lodu, trochę wody.

Klasę albo się ma, albo nie. Koleś nie miał jej ani krzty, ale drinki zamawiał jak trzeba. To wiele. A biedny Kudłaty mógł sobie chrupać darmowe orzeszki na barze, które służyły za ręcznik korzystającym z kibla.

– Kolega Krzysztof – Sartre machnął grubym jak kiełbasa lisiecka paluchem w stronę Kudłatego – mówił, że będzie mi pan mógł pomóc. Sprawa jest delikatnej natury.

– Kolega Krzysztof mówił do rzeczy.

– Widzi pan, potrzebuję opinii i ewentualnie pomocy specjalisty. Pan niejedną ciężką sprawę ponoć ma już na koncie.

Nie zdążyłem błysnąć ripostą, bo przed nami pojawiły się szklaneczki. Whisky zniknęło w czeluści gardła łysola.

– I jeszcze raz to samo – rzucił. – Panie Keller, chciałbym pana prosić o śledzenie pewnej osoby.

Popiłem piwka. Może trzeba przenieść interes tutaj, do knajpy? Czynsz za stolik na pewno będzie mniejszy niż za wynajmowanie całego pokoju, no i bliżej do wodopoju. Klienci, skoro chcą, to i tak trafią. Popiłem ponownie.

– Panie Keller?

– Zamieniłem się w słuch już dobrych parę minut temu.

– No tak, tak. A więc, panie Keller, chciałbym prosić pana o śledzenie mojej małżonki.

Tego się, kurwa, mogłem spodziewać. Mord, gwałt, no, jakieś wymuszenie rozbójnicze. Cholera, przynajmniej kradzież z włamaniem albo lepiej porwanie. Coś, kurna, zasługującego na moje zdolności. Coś poważnego. Z klasą. Coś trudnego, mocnego, ciężka sprawa, godna wzmianek prasowych. Krwista i krwawa. A tu – urojenia przepasionego księgowego. A nawet jeśli kobitka faktycznie się puszcza tu i ówdzie, to o co kruszyć kopie? Ludzie chodzą na boki, od kiedy Ewa porównała długości obu węży. Abstrahując od zakupionego alkoholu, Sartre spadł w mojej klasyfikacji niżej niż poseł na sejm.

– Znaczy, dowiedzieć się, jak spędza popołudnia, co jada na podwieczorki, czym pudruje sobie nosek i jaki jest jej stosunek do Murzynów? O to panu chodzi?

– Tak, to znaczy, istotnie. – Łyknął potężnie. – Chodzi, widzi pan, o to, iż moja małżonka, jak sądzę, zdradza mnie z innym mężczyzną.

– Skąd ten wniosek?

– Widzi pan, to dość wstydliwe. – Łyknąłby potężnie kolejny raz, ale już za pierwszym cały płyn ze szklanki zniknął mu w czeluści gardła szerokiego jak moje udo i trzy palce. Zamiast tego chwycił zębami kostkę lodu i zmiażdżył ją tak donośnie, że ciarki przeszły mi po plecach i zniknęły gdzieś pod stołkiem.

– Może pan mówić jak na spowiedzi.

– Widzi pan, złapałem syfa.

– No tak. Człowiek w końcu jest istotą ułomną.

– Ale ja go złapałem od mojej żony.

A tego się nie spodziewałem. Wychyliłem piwo do końca duszkiem, a zostało tak z połowę. Chciałem mieć czas na przemyślenie sprawy. Złapanie odpowiedniej sroki za dupę. Przyszpilenie delikwenta jak karaczana bagnetem. Cóż, powinienem zasunąć przynajmniej jakąś zabawną ripostę, żebyśmy wszyscy w tym miłym lokalu mogli pośmiać się z dobrego, barowego kawału z brodą po same jaja. Zamiast tego wszystkiego odbeknąłem lekko. I kiwnąłem na barmana.

– Cóż, to chyba nie będę już pytał, skąd pańskie podejrzenia.

Kiwnął głową.

– Ale, wie pan. Zawodowa solidność.

Kiwnął głową.

– Machał pan ostatnio śmigłem w toalecie dworca PKP?

– Hę?

– No to może nienajlepszy przykład. Czy ostatnimi czasy mieliśmy jakieś posuwanko poza protokołem?

– Że co?

– Wie pan: wchodzimy, wychodzimy, wchodzimy, wychodzimy, wchodzimy, wychodzimy, wchodzimy, oj kurna za późno, przecież mieliśmy zawczasu wyjść, wtedy więc wychodzimy, pięćdziesiąt złotych na stół, mówimy grzecznie do widz…

– Mówię panu, że to od żony złapałem! Co mi pan tu imputuje, panie!

– Nie ma się co irytować. Muszę najpierw wybadać, czy klient mówi prawdę. Jestem najlepszym detektywem w mieście. Wie pan, co by się stało z moją reputacją w okolicy, gdyby klient złapał trypra od rodezyjskiej kurwy, a ja uganiałbym się za jego żoną?

– Rodezyjskiej? Nie wiedziałem, że takie u nas robią.

– To taka figura retoryczna, panie… jak właściwie się pan nazywa?

– Kowalski.

– Łatwo zapamiętać. Dobra, nie marnujmy podniebień na niepotrzebne gadanie. – Nowe piwo było zimne, nieco przegazowane, ale tak dobre, że rozmowy jak ta odpływały gdzieś sobie, daleko. – Ma pan jej zdjęcie? Adres, numer telefonu, rejestracyjny, ubezpieczenia, stanika, stanowisko służbowe?

Wyjął z kieszeni trzy zdjęcia 15×10, naskrobał coś na kartce wyrwanej nie wiadomo skąd i przesunął po kontuarze w moją stronę. Kobita, przynajmniej na zdjęciu, była niczego sobie. Nawet więcej, była bardzo niczego sobie. Bez żadnego problemu byłem w stanie wyobrazić sobie mnie na niej. Mnie na niej bez sprzeciwu z jej strony – to już gorzej. Cóż, zawsze mierzyłem siły na zamiary.

– Tu spisałem adres domowy. Żona nie pracuje. I numer telefonu.

– Jej czy pański?

– Mój. Na cholerę panu jej? Ma pan ją śledzić, a nie do niej wydzwaniać.

– Hej, koleś, kto tu kogo wynajmuje? Jestem w końcu fachowcem, czy nie?

– Dobra, dobra. Masz pan tu. – Naskrobał na dole wręczonej mi kartki. Gościu miał niemal tak paskudny charakter pisma jak ja. Ha, być może to przymiot ludzi wielkich. Zerknąłem na sąsiada na stołku barowym. Wycierał pot z czoła upapraną chustką do nosa. Cóż, na każdego Izaaka Newtona przypadało dobrych parę tysięcy imbecyli.

– Gdy tylko chwycę trop, dam panu znać.

– Kolega Krzysztof mówił, że można na panu polegać.

– Gdy tylko zobaczę pół jej cycka poza pańską sypialnią, będzie pan to miał w *high definition*.

– Mam nadzieję, że nie robię błędu.

– Będę jak Tommy Lee Jones.

– Mam nadzieję...

– Nie traćmy czasu na czcze dyskusje, panie kolego. Zaraz udam się prosto ku moim obowiązkom. Tylko chwilkę jeszcze posiedzę, poukładam sobie w głowie kolejne posunięcia. Nie chcemy przecież spłoszyć ptaszka, prawda? Trzeba działać ostrożnie. – Miałem już lekko w czubie i nie bardzo chciało mi się gadać, ale nawijałem jak pomylony, żeby tylko już sobie poszli. – Proszę iść do domu i czekać na mój telefon. Cześć, Kudłaty. Do widzenia panu.

Nie bardzo wiedzieli, co robić, wstali więc, uścisnęli mi dłoń i wyszli. Wcześniej Sartre-Kowalski położył stówę na kontuarze. To przypomniało mi, że nie powiedziałem mu o moich stawkach. A, co tam. Będzie jeszcze okazja. Tak. Dawno nie miałem dwóch zleceń naraz. Teraz musiałem sobie to wszystko poukładać. Uporządkować wątki, posegregować tropy. Wszystko musi być na swoim miejscu, Keller, w końcu jesteś fachura, nie? Grunt musi być przygotowany pod śledztwa, które niechybnie ruszą z kopyta. Machnąłem na barmana...

Następny dzień rozpoczął się dla mnie tak koło południa. Doprowadziłem się mniej więcej do stanu używalności, wtrząchnąłem tost z szynką i serem i wyszedłem na świat. Padało i wiało. Wiało i padało. Czułem się mniej więcej odpowiednio do pogody.

Trzeba było zabierać się do roboty. Ale – jak to powiedziała żaba w którymś tam kawale, kiedy to zwierzęta piękne miały przejść na lewą, a mądre na prawą stronę – przecież się nie rozdwoję. Dwa zlecenia, a ja sam jeden jak oaza na pustyni bezprawia i występku. Należało zacząć od któregoś z nich. Od którego? Oto było pytanie. Postanowiłem rozpocząć od niewiernej żony – truposze nie są dobrzy na kaca.

Idąc do samochodu, kupiłem w kiosku gazetę. Na pierwszej stronie krakowskiej części krzyczał wielki wytłuszczony nagłówek:

KOLEJNA OFIARA MORDERCY!

Znaleziono zwłoki kobiety zaginionej w ubiegłym tygodniu.

Wczoraj w godzinach wieczornych w okolicy ul. Niepokalanej Marii Panny nad Wisłą znaleziono zwłoki należące do 29-letniej kobiety, której zaginięcie rodzina zgłosiła w miniony wtorek.

Jak donosi nasz reporter, nagie, okaleczone zwłoki znalazł przypadkowy wędkarz, który zmierzał ścieżką przez zarośla nad brzeg Wisły.

Najprawdopodobniej – na co wskazuje stan zwłok oraz prawdopodobne okoliczności zdarzenia – mamy do czynienia z kolejnym, drugim już morderstwem na tle seksualnym, dokonanym w ciągu ostatnich trzech miesięcy. Czy to już seria? Czy wśród mieszkańców naszego miasta jest, choć to słowo nie chce przejść przez ściśnięte z trwogi gardło, seryjny morderca?

Rzecznik Policji, Zdzisław Najmrodzki, odmówił ujawnienia, na jakim etapie znajduje się śledztwo, i czy w ogóle posuwa się do przodu. Czy wobec tego możemy czuć się bezpieczni? Czy policja robi wszystko, by złapać sprawcę?

A ja miałem na rozkładzie zazdrosnego męża z tryprem i nieboszczyka, który pewnie opalał się teraz na Bali, podczas gdy my tu w kraju wyżymaliśmy gacie już po krótkim spacerze do kiosku.

Cóż, jak się jest prywatnym detektywem, to trzeba mieć fart. Zresztą, jak się nie jest, to też. Wyprowadziłem mojego poloneza z blaszaka i, krztusząc się wraz z silnikiem, potoczyłem się powoli mniej więcej w kierunku Woli Justowskiej. Dzień robił się coraz bardziej paskudny. Miałem ochotę walnąć się na kanapie przed telewizorem i nie ruszać tyłka przez miesiąc. Chyba że do lodówki albo kibelka. Ale trzeba było zająć miejsce w kieracie rzeczywistości i najpierw zarobić na zawartość lodówki.

Skręciłem w Królowej Jadwigi, w prawo, i toczyłem się powoli. Coś chrobotało z tyłu, w okolicach koła. Złom rozsypie mi się pewnego dnia na środku ulicy i będę musiał iść na autobus. A wcześniej zepchnąć cholerne półtorej tony na pobocze. Albo zostawię go wtedy i tyle, niech się martwi MPO.

Jechałem w średnim jak na poloneza tempie przez Wolę i śledziłem rosnącą numerację domostw. Miałem już kiedyś zlecenie w tej okolicy. Pewna pani po rozwodzie przypomniała sobie, że pozostawiła w ramach podziału majątku z byłym mężem swojego ukochanego pieska, siedemdziesięciokilowego doga. I mnie zleciła wydobycie tegoż pieska w dowolny sposób. Piesek potem zeżarł mi moją świnkę morską, a ja nie zdołałem się choćby otrzeć o krągły tyłek jego właścicielki.

Minąłem właściwy numer, podjechałem do następnej przecznicy, skręciłem i zaparkowałem. Sprawdziłem, czy aparat jest naładowany, i podążyłem spacerkiem. Było wpół do drugiej. Wykombinowałem sobie, że żonka powinna być w domu, podczas gdy mężuś pracuje w pocie czoła na utrzymanie jej, jej chorób wenerycznych i jej potrzeb. Należało się przyjrzeć. Tak kombinowałem. Bo nie bardzo wiedziałem, od czego innego, kurwa, zacząć.

Doszedłem do właściwego ogrodzenia. Dechy szerokie chyba na pół metra, ze szparami, przez które można było dostrzec dom w stylu wymiotnym: kolumienki i baszty, dachówka czerwona jak krew na chodniku, żywopłociki, krzaczki-sraczki. Podjazd pusty i ani śladu po obronnych zwierzętach. Na furtce żadnego znaczka, że piesek jest mordercą. No i git. Jak mnie coś ugryzie w dupę, będę w prawie, bo takie tabliczki są, zdaje się, obowiązkowe. A powiem, że jestem przedstawicielem handlowym i sprzedaję, bo ja wiem, aparaty fotograficzne. Na świadka Jehowy nie wyglądałem. Bardziej już na domokrążcę.

Rzut oka na ulicę, rzut na dom (cisza, spokój) i raz-dwa przeskoczyłem płot i przyczaiłem się za krzaczkiem. Czułem się jak kretyn. Dom wciąż był cichy i martwy. Nic z obnażonymi kłami do mnie nie leciało. Z ciekawości sprawdziłem, czy bramka jest zamknięta.

Kurwa mać!

No nic, póki co, szło jak należy. Chyłkiem przekradłem się pod zamkniętą bramę garażu. Co dalej? Rozjaśniłby mi w głowie łyk czegoś mocniejszego. Ale dyżurną małpkę zostawiłem w drzwiach samochodu. Dobra, rusz dupę, bo zaraz ktoś cię zauważy. Jak się powiedziało „a", trzeba powiedzieć całą resztę. Przeszedłem za węgieł. Tu na parterze nie było żadnych okien. Od sąsiada, oprócz płotu, odgradzał nas porządny, dwuipółmetrowy rząd tui, czy jak się to cholerstwo nazywa. Z tyłu ogródek ciągnął się jeszcze ze dwadzieścia metrów, poprzetykany klombami i drzewami. Ani żywej duszy. Po tysiąckroć dziękowałem niebiosom, że nie mieli żadnej zębatej bestii. Teraz dopiero, w środku obcego terytorium, poczułem się jak intruz, który zasługuje na odgryzienie łydki. „Dobra, Keller, trzymaj fason. Zajrzyj do środka, zobacz, co i jak. Jesteś gość. Jesteś fachura. Jesteś jak cholerny ninja, tyle cię zobaczą".

Taras, wyłożony kamieniem, który kojarzył mi się z cmentarnymi ścieżkami, krzesła, stół, talerze, miski, flaszki po winie, w szyjkach niektórych świece skrócone do kikuta, zastygły wosk na szkle i stole; resztki po wczorajszym. Pani domu pewnie śpi. Ciekawe, z kim? Niezawodny nos najlepszego detektywa w mieście podpowiadał mi, że coś jest na rzeczy. Winko i dymanko. Dusza i fizjologia. Do dzieła, Keller. Zarób na okresowy przegląd samochodu. Drzwi na taras były uchylone. Drzwi na taras były uchylone! Spiąłem się w sobie i włos mi się zjeżył tu i ówdzie. Te emocje, ten dreszcz w jajach i dwunastnicy – to było to, esencja pracy prywatnego detektywa. Marlowe, mój imienniku, miej mnie w swej opiece...

Wślizgnąłem się do środka, upewniwszy się wcześniej przez szybę, czy nikogo nie ma w salonie. Wślizgnąłem się i przypadłem do podłogi za najbliższą kanapą. W pomieszczeniu były, o ile zdążyłem spostrzec, dwie kolejne. Po co komu trzy kanapy? Wyższe sfery mają widać swoje przyzwyczajenia. Albo nadmiar forsy, ot co! Postanowiłem chwilę poleżeć i uspokoić tętno.

Leżałem dobre dwie minuty i z równym powodzeniem mogłem próbować telepatycznie zaprowadzić pokój na Bliskim Wschodzie. Nic to, stres i emocje działań operacyjnych (tak sobie powtarzałem bezgłośnie pod nosem) to esencja pracy detektywa. I wtedy usłyszałem jakiś hałas.

Dobiegł gdzieś z góry, przez sufit. Ni to krzyk, ni to jęk. Jęk przechodzący w krzyk. I jeszcze jeden. I jeszcze! A potem, przytłumione przez warstwy farb, tynków i zbrojonego betonu, niezrozumiałe, niewyraźne fragmenty rozmowy. Tak jest, kobiety i mężczyzny. I znów krzyk, tym razem wyraźniejszy i ostrzejszy. Poczułem, jak adrenalina podnosi mi wspomniany już puls ze stu pięćdziesięciu czterech na jakieś sto pięćdziesiąt osiem. Zastrzygłem uszami. Powęszyłem w powietrzu. Ciarki bezgłośnie przeleciały mi wzdłuż kręgosłupa. Mam panią, pani Kowalska! Pierwszy strzał i od razu w samą dychę! Zaraz będzie mnie błagać, żebym nie zdradzał mężowi źródła trypra! Zaraz będzie się wiła u moich stóp, zdana na moją łaskę i niełaskę. A gach będzie krył się w kącie, nie wiedząc, jak spierdzielić przed karzącą ręką sprawiedliwości! Jęki i podniesione głosy były coraz donośniejsze. Czas na działanie, Keller. Rusz dupę i zalicz najszybciej rozwiązaną sprawę w twojej karierze. W sumie, to łebski z ciebie facet. Niby nic specjalnego, zarabia sporo mniej niż średnia krajowa, lubi popić, ale jednak niezły z niego pistolet. I ma nosa. Ma to coś, co odróżnia byle krawężnika od dochodzeniowca, jak się patrzy. A teraz wstań i idź, chłopie, bo kolo może cierpi na *eiaculatio praecox* i, że się tak wyrażę, chuja zdążysz sfotografować.

Wstałem i, schylony, nie wiedzieć czemu, podleciałem ku schodom (mimo obrazów na ścianach, bibelotów na stoliczkach porozstawianych wszędzie wokół, mimo grubego, puchatego, białego dywanu pod stolikiem z szeregiem pustych flaszek po różnych napojach) schowanym za załomem muru. Po lewej widziałem zagłębienie kuchni, garnki i chochle zwisające wokół okapu, lodówkę wielkości całej mojej kuchni, blat zawalony brudnymi naczyniami. Przebiegłem obok telewizora, który rozmiarami z kolei przypominał moją lodówkę, tylko w poprzek, a potem schodek za schodkiem, na górę. Jęki dochodziły z pokoju w głębi korytarza, zza uchylonych nieznacznie drzwi. Włączyłem aparat i bezszelestnie przemknąłem wzdłuż balustrady. Teraz, przyczajony przed wejściem, mogłem już dokładnie słyszeć wszystko.

– Bolało? – Kobiecy głos.

– Tak! – Męski, ale miękki, płaczliwy.

– Bolało świnkę?! – Znów kobieta.

– TAK, TAK! CHRUM! – Mężczyzna głośno, krzykliwie.

– To TERAZ dopiero zaboli!

Po czym nastąpiła seria mlasknięć, gładkich i świszczących uderzeń czegoś, co przywodziło na myśl bat na konia. „O kurwa" – pomyślałem. I, kopnąwszy drzwi, z aparatem przed sobą, wpadłem do (jak się okazało) sypialni. A zanim zdążyłem cokolwiek zobaczyć, już zrobiłem ze trzy fotki. A jak zobaczyłem, to pożałowałem, że ruszałem się zza kanapy. Że w ogóle ruszałem się dzisiaj z domu.

Na łóżku, na czworakach, ubrany jedynie w przyprawiony świński ryj na nosie oraz stringi z przyprawionym kręconym, świńskim ogonkiem trwał koleś, na oko pięćdziesięcioletni. Na dupie (co zauważyłem z zażenowaniem wielkim jak Pacyfik, ale nie dało się tego nie zauważyć, zważywszy na usytuowanie łóżka i drzwi wejściowych) widniały pręgi, czerwone jak dachówka na dachu ponad nami.

Żeby dopełnić obrazu (świat po wojnie atomowej, tak, świat po trzeciej światowej), u stóp łóżka stała kobieta. Kobieta, a raczej baba. Grube babsko, ze sto kilo, no, gdyby ją pozbawić wszystkich akcesoriów i skąpych elementów stroju. Grube, gołe dupsko, szerokie na dwadzieścia osiem albo i trzydzieści cali (wciąż w głowie miałem te porównania telewizyjne), obłe łydy przypominające w kształcie gigantyczne bakłażany, przez to, że obute w równie potężne, czarne, skórzane kozaki. Poza tym, kiedy zwróciła się do mnie półobrotem, spostrzegłem jej lewego cyca niczym pięciokilowy wór z uwiędłą zawartością, a gdzieś po drugiej stronie brzucha czaił się taki sam, drugi wór. W ręku miała szpicrutę, na głowie – wokół której kłębił się gąszcz poskręcanych czarnych loków (nie chciało mi to przejść przez gardło nawet w wyobrażeniach, ale równie poskręcane i równie czarne loki miała też w innych miejscach) – sterczała pod idiotycznym kątem czapka rodem z drugiej wojny światowej, coś jakby niemiecka, coś jakby wprost z jednostek SS, z trupią główką. A jakby tego wszystkiego jeszcze było mało, na tłustym ramieniu, CHRYSTE PANIE, zauważyłem czerwoną opaskę ze swastyką na białym tle. Wszyscy zastygliśmy na dobrą chwilę. Bardziej odruchowo i z podświadomego obowiązku, niż pod kontrolą zmysłów, zrobiłem jeszcze ze dwa zdjęcia tego przedstawienia. I wtedy się wydarła.

– CO PAN TU ROBI? TO PRYWATNY DOM! – i zamierzyła się na mnie szpicrutą. Świniak tymczasem spełzł gdzieś na drugą stronę łóżka i już się więcej nie pokazał.

Kiedy kończyła słowo „prywatny", już byłem na schodach, już byłem w salonie, już byłem na tarasie, na polu, a wciąż oczyma wyobraźni widziałem nad sobą uzbrojone w swastykę otłuszczone ramię i opadającą skórzaną szpicrutę.

Usain Bolt to przy mnie – przynajmniej tamtego wczesnego popołudnia – cienki bolo.

Wróciłem do samochodu i strzeliłem sobie pięć, a może nawet osiem sporych łyków z małpki. A łydki wciąż chodziły mi na boki jak pod prądem.

Wróciłem do domu i zrobiłem sobie kanapkę z serem topionym. Dość już chyba sukcesów w śledzeniu pani Kowalskiej, jak na jeden dzień. Była trzecia po południu; siedziałem przed telewizorem, leciał któryś z setek kanałów, a wszystkie takie same. Najchętniej wyrzuciłbym to cholerstwo przez okno wprost na mojego gruchota, kupił z pięć kilo topionego złotego ementalera czy czegoś innego, pięć litrów wyborowej, położył się na kanapie i nie otwierał oczu przez sześćset minut. Człowiek wstawał rano bądź w południe z nadzieją, że dzień nie będzie nań czyhał tysiącem zasadzek i że powietrze będzie lekkie i rześkie. Że nikt, kurwa, nie będzie go próbował wydymać. No, z równym powodzeniem można było szczać wprost pod ten huragan, co rozpirzył Nowy Orlean.

Zajrzałem do lodówki; nabiał się skończył. No to zrobiłem sobie jeszcze jedną kanapkę z tym, co najwolniej uciekało, i otworzyłem browar. Zamiast uruchamiania telewizora, poczytałem sobie program. Doszedłem do wtorku i już chciałem otworzyć kolejną puszkę, ale zawodowa solidność mi nie pozwoliła. Czas przyszedł już najwyższy, aby znaleźć trupa Piotra Niestroja. A potem dobrać się do domniemanej wdowy. No. To od czego zaczniemy? Wykręciłem numer domniemanej wdowy.

– Słucham?

– Keller. Filip Keller. Mam pytanie w sprawie byłego męża.

– Byłego? Panie Keller…

– Męża, znaczy. Szukam, widzi pani, punktu zaczepienia… analizuję dane, przeglądam tropy…

– Analizuje pan tropy? Co pan bredzi? – przez telefon nie była nawet w połowie tak miła jak w rzeczywistości. To pewnie te jej cycki, pewnie tak. – Czyli, mam rozumieć, mamy popołudnie, a od wczoraj nie posunął się pan ani o milimetr?

– To zbyt daleko posunięte przypuszczenie, droga pani. Sprawa jest rozwojowa, jak już pewnie mówiłem. Potrzebuję tylko kilka odpowiedzi, parę sugestii. Żeby ruszyć z kopyta.

– Zaczynam podejrzewać, że popełniłam gruby błąd, zatrudniając pana, panie Keller.

– Lepiej pani trafić nie mogła, jak babcię kocham! To jak wygrana na loterii, pani Niestrój!

– Pił pan?

– Przed chwilą – powiedziałem i ugryzłem się w język.

– Słucham? Chyba wspominałam, że nie toleruję alkoholu?

– Tak jest. Ale widzi pani, dzisiaj są moje urodziny – łgałem na bieżąco. – Wpadł sąsiad z piwkiem, no to nie mogłem zachować się jak ostatni cham, nieprawdaż? W końcu trzydzieści trzy lata, wiek chrystusowy.

– Wszystkiego najlepszego.

– Dziękuję. Od teraz będę trzeźwy jak dziewica orleańska. Słowo zucha.

– To chyba nie było jedno piwo?

– Mniejsza o to. Dzwonię w sprawie niecierpiącej zwłoki. Serio, rzuciłem się na sprawę pani męża jak młody żbik na kulawego jelonka.

– Że jak?

– Mniejsza o to. W każdym razie muszę się dowiedzieć, czy mąż miał jakieś hobby. Znaczy, czym się zajmował po pracy? Sklejał modele? Tańczył salsę? Bo ja wiem, kolekcjonował truchła egzotycznych motylków? Uprawiał zapasy w stylu wolnym? Chodzi o to, gdzie spędzał czas, kiedy nie był w robocie i w domu.

– Hmm... on był typem sportowca. JEST typem sportowca. Wie pan: pływalnia, siłownia, solarium, squash. Nie bardzo rozumiem, do czego pan zmierza. Chce pan zwiedzić wszystkie baseny w mieście i wszystkie sale do squasha w nadziei, że go pan spotka? Aż takim kretynem to on nie jest.

– Droga pani, każda informacja, choćby najmarniejsza, jest w tej sytuacji na wagę złota. Jak coś sobie pani przypomni, proszę dzwonić od dziesiątej do nocy.

– Słucham?

– Powiedziałem, o każdej porze dnia i nocy. Do widzenia i miłego popołudnia, pani Niestrój!

– Wzajemnie.

Rozłączyliśmy się. To nie była zbyt inteligentna rozmowa, ale lepsze to niż patrzenie w sufit. Pojęcia nie miałem, co zrobić z tym pływaniem i squashem, ale jak znałem życie, skończy się dokładnie tak, jak mówiła.

Przez resztę dnia nie robiłem nic szczególnego. Szkoda tylko, że nie płacili mi od godziny. „Nowy poranek daje nowe nadzieje" – pomyślałem. Odrobina nadziei, tego człowiek potrzebuje najbardziej.

Wstałem rano i zjadłem kanapkę z pasztetem. Popiłem kawą zbożową. Dzień był dżdżysty. Tak napisaliby w książce. Padało, chmury były nisko, a wszystko to nakładało się na moje samopoczucie. Czemu człowiek nie może przesypiać takich dni? I tygodni?

Zebrałem się do kupy i wyszedłem. Trzeba było zabierać się do gonienia zbrodniarzy. Na zewnątrz nie poczułem się ani o promil lepiej. „Trzeba zacisnąć zęby, chłopie – myślałem – i robić swoje. Bo inaczej dorwą cię te chmury, ten deszcz i ta melancholia. Dorwą i zeżrą".

Wyprowadziłem szczyt polskiej myśli technicznej z blaszaka i wyjechałem ku szczęśliwym mieszkańcom naszego pięknego miasta. Korek zaczął się za pierwszym rogiem.

Czterdzieści minut później byłem na dobrej drodze, żeby wysiąść i powystrzelać wszystkich w zasięgu wzroku. No, ale broni nie miałem, a śledztwa czekały. Wliczyłem więc korki w koszta i zapaliłem sobie szluga.

Dom Niestrojów leżał kawałek za Krakowem, za Skawiną, powiem więcej, nawet za Rzozowem, gdyby te dwie pierwsze nazwy nic wam nie mówiły. Wśród – jakżeby inaczej – podobnych sobie gmaszysk na działkach wielkości boisk futbolowych. Przejechałem kawałek dalej i stanąłem w bocznej, niknącej gdzieś za porośniętym brunatną, uschłą trawą wałem. Wysiadłem i zapaliłem. Drogą mknął zwyczajny przedpołudniowy ruch. Żadnych pieszych w zasięgu strzału. Ruszyłem powoli z powrotem wzdłuż asfaltu, starając się wyglądać na zrelaksowanego. Nie bardzo wiedziałem, po jaką cholerę tu przyjechałem, pewnie po to, żeby zachować pozory pracy śledczej przed zleceniodawczynią. A, co tam. Ładny dzionek, to można się przespacerować.

Działka Niestrojów od frontu ogrodzona była wysokim murem z beżowego piaskowca. Z jednego i drugiego boku stał niewiele niższy drewniany płot, który niknął gdzieś w głębi, za pagórkiem. Od strony, gdzie zaparkowałem, nie sąsiadowali z nikim, ale z drugiej strony – jak najbardziej. Dom sąsiada odznaczał się krwistoczerwoną dachówką. „To jakaś najnowsza moda czy jak" – pomyślałem, a przed oczami stanął mi tamten na Woli, z faszystkami i świniakami w środku. Budowle widoczne gołym okiem z kosmosu? Wielki Mur Chiński i dom mieszkalny, jednorodzinny, pod Skawiną.

Po paru minutach doszedłem do podjazdu. No tak. Czas na jakąś akcję, Keller. Rzuciłem okiem, czy nie ma jakiegoś monitoringu, ale nie, czysto. Tylko mała kamerka przy domofonie, ale nie przypuszczałem, że ktoś filuje dzień i noc, co też słychać na ulicy. Przeszedłem jeszcze kawałek i przystanąłem. Zza tego cholernego muru nic nie było widać. Tylko krawędź dachu, komin i jakieś anteny. Zapaliłem kolejnego szluga. Wciąż nikogo. I co teraz? Przedzwonić domofonem? I co dalej? Kurwa mać. No nic, Keller, przynajmniej zwiedziłeś okolice Krakowa. Nawdychałeś się świeżego, wiejskiego powietrza. Może pożyjesz piętnaście minut dłużej.

Krztusząc się i pierdząc, minął mnie starszy chyba od mojego poldka kamaz wyładowany ziemią. Chmura spalin owionęła mnie i oblepiła niczym psie gówno podeszwę.

Byczo, po prostu byczo.

Wtedy mój wzrok padł na skrzynkę na listy. Niemal się wysypywały, bo też była jakaś taka mniejsza niż standardowa. Listonosz widać nie zwracał na to uwagi, tylko wpychał na chama wszystko, co miał do wepchnięcia, i jechał dalej.

Cóż, rzućmy okiem, skoro już nawdychałeś się tego ozonu.

Reklama Media Marktu, reklama pizzerii, reklama pizzerii, ulotka firmy ochroniarskiej. Koperta – pewnie katalog – firmy Sephora, gruba koperta firmowa Mercedesa. Reklama pizzerii. Rachunki telefoniczne, prąd, gaz. I, na samym dole, żółta koperta zaadresowana do Piotra Niestroja. Na odwrocie, w górnym lewym rogu nadruk wielbłąda. Ki diabeł? Ogród zoologiczny? Nie było czasu na rozmyślania. Lada chwila mogłem się spodziewać przyłapania na gorącym uczynku naruszania tajemnicy korespondencji. Powtykałem wszystkie listy z powrotem do skrzynki, schowawszy ten z wielbłądem do kieszeni kurtki, i udałem się w drogę powrotną. Chyba nikt mnie nie widział. Znowu ci się upiekło, Keller. Jesteś fartownym skurwielem. A przy dodatkowej odrobinie szczęścia rozwiążesz tę sprawę. Co tam, rozwiążesz niejedną sprawę. Miałeś nosa, wybierając ten fach. Nosa i jaja. Ten cienias Poirot mógłby czyścić buty twojemu pucybutowi.

W samochodzie musiałem najpierw uspokoić nerwy i zapalić. Potem – kolejne proste, acz genialne posunięcie najlepszego prywatnego detektywa w mieście – zapaliłem oporny silnik i, zawróciwszy, potoczyłem się z powrotem ku cywilizacji. „Lepiej – kombinowałem – odjechać gdzieś dalej i dopiero wtedy otwierać cudzą korespondencję. Jeszcze ktoś by cię przyuważył, chłopie. Grunt, to wyczucie".

Dojechałem do pierwszej stacji benzynowej i stanąłem przy krawężniku. Koperta była szorstka w dotyku. No i ten wielbłąd. Oderwałem krawędź i wyjąłem list, równie żółty jak koperta. Na samej górze widniał taki sam wielbłąd, tylko ze trzy razy większy. Pod nim, wytłuszczoną kursywą stało: „Nasze motto: Dziś może być pierwszy dzień Twojego trzeźwego życia". Dalej dane adresata, a po lewej: „Dromader – Centrum Terapii Uzależnień". A poniżej:

„Szanowny Panie Piotrze,

przypominamy o kolejnym mityngu, który odbędzie się dn. 9 listopada br., o godzinie 18.00, w siedzibie Centrum Terapii Uzależnień.

Mówimy to głośno:

Daj sobie pomóc! Pokażemy Ci nową drogę życia!

Kierownik...." i podpis.

To było to! Znów złapałem trop. I teraz już nie popuszczę. Zaraz, zaraz. Którego to mieliśmy? Drżąc wewnętrznie z podniety w oczekiwaniu na koleje rozwijającego się gładko niczym rolka papieru toaletowego śledztwa, poszedłem rzucić okiem na gazety codzienne do budynku stacji. Taki byłem podekscytowany, że data wypadła mi z pamięci. Bingo! Dziewiąty listopada! Jak w mordę! „W końcu trafisz tam, gdzie przepowiadali twoi sąsiedzi" – śmiałem się w duchu, wracając do samochodu.

Czułem, jak prostują się przede mną meandry śledztwa. Zapowiadał się dobry dzień.

Dromader – Centrum Terapii Uzależnień mieściło się przy Krowoderskiej, w kamienicy, która wyglądała, jakby była świadkiem niejednej wojny światowej.

W bramie, bo centrum dla wykolejeńców mieściło się w podwórzu, waliło jak w dworcowym szalecie. No tak. Dalej było równie zachęcająco. Po prawej, w głębi, wejście do porno-shopu „Andżelika". Poszedłem w lewo, ku wejściu z wielbłądem na tabliczce. Wlazłem do środka i znalazłem się w schludnym i niewoniejącym ekskrementami hallu. Recepcja, sofa i fotele, stojak z ulotkami. Wszystko w zgniłych żółciach i spleśniałych błękitach. Wielbłąd tu, wielbłąd tam.

– Pan w jakiej sprawie? – spytała pani za ladą. Miała ze trzy kilo blond loków na głowie, które stały jak pudel szykujący się do podania łapy.

– Ja na mityng – machnąłem kopertą. – Kilka ostatnich opuściłem, bo byłem w delegacji.

– Na mityng? Grupa trzecia? Ale to dopiero o szóstej – powiedziała.

– No właśnie.

Patrzyła na mnie niemo, pudel też.

– Bo już za pięć – stwierdziłem, rzucając okiem na zegarek.

– Za pięć piąta, panie... jak się pan nazywa?

– Kramer.

– Mityng jest dopiero za godzinę, panie Kramer – powiedziała, spoglądając na monitor.

– No tak, oczywiście. Gdzie ja mam głowę... taki jestem niedzisiejszy, odkąd zachowuję trzeźwość. To do zobaczenia za godzinkę. Ahoj! – Popatrzyła na mnie jak na trepa, a ja odwróciłem się na pięcie i wyszedłem na powietrze.

Kurwa mać. Znowu ten cholerny czas zimowy. Cofnąłem zegarek o godzinę i wyszedłem przez szalet na ulicę. Co tu robić do mityngu? Postanowiłem odwiedzić bar, który przycupnął sobie – jakże miło z jego strony – naprzeciwko.

Usiadłem na stołku przy kontuarze i zamówiłem piwko. W lustrze między flaszkami widziałem swoją gębę. Popiłem. Ten stres cię wykończy, chłopie. To udawanie przed innymi, to podszywanie się pod kogoś, ta praca operacyjna. Pewnego dnia kipniesz na zawał w środku miasta i nikt tego nawet nie zauważy. Nikt nawet nie zapłacze, nikt nie uroni choćby pieprzonej łzy. Dopiero jak zaczniesz śmierdzieć, przyślą po ciebie służby oczyszczania miasta i wywiozą cię na śmietnik historii.

Popiłem. Nie daj się melancholii, Keller. Jesteś łebski facet. Może i abnegat, ale za to oczytany. Te czarne myśli zostaw przyszłym pokoleniom. Lepiej się napij, napij się, rozluźnij połączenia neuronów i rozwiąż tę cholerną sprawę. Poprawka – dwie cholerne sprawy. Zdrówko. Do mityngu miałem jeszcze dwadzieścia minut, więc zamówiłem małe piwko.

Krzesła były ustawione w kręgu, jak na jakimś filmie. Drugiego rzędu niestety nie było. Kilkoro pijaczków już było, prowadzący – co poznałem po plakietce z napisem: „Prowadzący" – również. Usiadłem między posiwiałym na skroniach dżentelmenem o wydatnym brzuchu a panienką, która z grubsza przypominała młodszą wersję królowej brytyjskiej, tyle że była ostrzyżona niemal na zero. Możliwie dyskretnie zacząłem się rozglądać za Niestrojem. W sumie było kilkanaście osób, pół na pół, mężczyzn i kobiet. Nie licząc puszystego sąsiada (takiego bandziocha dla kamuflażu nikt nie byłby w stanie sobie zapuścić w tak krótkim czasie), ze dwóch-trzech mniej więcej spełniało kryteria wieku. Pierwszy z nich siedział obok prowadzącego, miał tłuste włosy za uszy, z przedziałkiem pośrodku, i wzrok szaleńca. Poza tym nie wiedział, co zrobić z rękami, i ciągle drapał się w różnych miejscach.

Tymczasem mityng zaczął się na dobre.

– Witam państwa. Jak większość z was wie, mam na imię Tomek. Widzę kilka nowych twarzy. – Tu spojrzał na mnie i gdzieś obok. – Więc, zwyczajem naszych spotkań, prosimy o powiedzenie paru słów o sobie. Ale, żeby nowi członkowie naszej małej społeczności poczuli się pewniej, może przedstawimy się po kolei.

– Bożena. Jestem trzeźwą alkoholiczką od dziesięciu lat – pierwszy odezwał się koleś obok prowadzącego, wysokim głosem z chrypką, ten, co nie wiedział, co zrobić w rękami. Okazał się kobietą. Chryste, to naprawdę była kobieta. To jeden mi odpadał.

– Dziękuję, moja droga. Proszę dalej – ponaglił Tomek, gdy po Bożenie nastała cisza.

– Janusz, od piętnastu, jak wyżej. Czy za każdym razem musimy odbębniać to samo tylko dlatego, że jest ktoś nowy? – Pytanie spotkało się z pomrukiem zadowolenia na sali.

– Przypominam, że każdy z nas przyszedł tu kiedyś po raz pierwszy – odpowiedział pomrukowi prowadzący, nieco głośniej i ostrzej. Pomruk ucichł. Ładne kwiatki.

Potem poleciało gładko. Janina, trzy lata, Robert (kolejny z kandydatów na Niestroja, koło czterdziestki, opalony, ciemne włosy posiwiałe na skroniach, okulary, tylko nos wydawał się jakiś taki zbyt ogromny, kiedy przywołałem sobie w pamięci mężczyznę ze zdjęć), nie dosłyszałem, ile lat, potem znowu Bożena, Roman (aha! Roman! Ale ten nie pił od dwudziestu, czyli gdzieś tak od pięćdziesiątki, bo wyglądał, wypisz wymaluj, jak siedemdziesięcioletni cieć z mojego bloku. I może to był cieć z mojego bloku?), Hanna, pół roku, Anna, pół roku (podobne jak jednojajowe bliźniaczki i, jak się okazało, mój nos detektywistyczny nie zrobił mnie w wała), a potem przyszła kolej na drugiego, poza mną, nowicjusza.

– Dzień dobry – rzekł i jako jedyny wstał. – Nazywam się Olgierd. Jestem alkoholikiem. – Zewsząd znów rozległy się pomruki, tym razem, co wniosłem po ich temperaturze, aprobaty i wsparcia. – Staram się zerwać z nałogiem i postanowiłem poszukać pomocy, bo sam jestem na to zbyt słaby. – Większe pomruki, nawet ze dwa klaśnięcia w dłonie. – Picie zniszczyło mi życie. – Nie miałem pojęcia, czy rym był zamierzony, ale teraz reakcją był niemal aplauz. – Mam małego synka, ma na imię Olgierd Junior. Żona mnie zostawiła, odeszła do swoich rodziców i zapowiedziała, że nie wróci, dopóki nie przestanę chlać. To jej słowa. Chlać. – Oklaski, grubas nawet zagwizdał. Też biłem brawo, głównie dla żony. – Mam nadzieję, że mi pomożecie znaleźć wyjście z matni. – Burza braw, krzyki: „Trzym się!", „Dasz radę", „A to z niej suka". Prowadzący uniósł dłoń i znów było cicho jak na biegunie północnym. Jak na biegunie bez wiatru, ma się rozumieć.

Olgierda, nowego, od razu wykluczyłem, gdyż w liście stało jak byk, że przypominają o kolejnym mityngu. Bardzo przyjemnie zrobiło mi się ze świadomością własnej przenikliwości.

– Andrzej, trzeźwy od dwóch lat – ten najbardziej przypominał kolesia za zdjęć, tylko że miał wielkie, sumiaste wąsy. Posiwiałe, pożółkłe od tytoniu, wiszące nad ustami wąsiska. „Pewnie przyklejone – skonstatowałem – na pewno tak. Temu Andrzejowi trzeba by się bliżej przyjrzeć".

– Marek, trzeźwy... trzeźwy... trzeźwy od...

– Znowu nie dałeś rady? Znowu to samo? – Tomek, prowadzący, mówił cicho, ale słowa cięły stojące powietrze niczym nóż ze stali damasceńskiej twarożek babuni. – Od kiedy?

– Od... od wczoraj.

– Zawiodłeś mnie, Marek. Zawiodłeś nas. Ale, co gorsza, zawiodłeś siebie. I jaki przykład dajesz naszym nowym gościom? To pytanie do wszystkich: jaki przykład dał nam Marek? – rzucił głośniej.

Buczenie, gwizdy, tupanie: „Nieładnie, nieładnie", „Jak mogłeś?", „A tak w ciebie wierzyliśmy...". A Marek jak gdyby zapadł się w sobie. Nawet ten jego brzuch się zapadł.

– Bardzo nas zawiodłeś. Ale do ciebie jeszcze wrócimy – stwierdził Tomek i znów było jak makiem zasiał. „Chryste – pomyślałem – to jakiś faszysta". – Ale przejdźmy do kolejnej osoby, a to już druga, jeśli się nie mylę, nowa twarz dzisiaj?

– Nie myli się pan, znaczy, nie mylisz się. – Wstałem i odchrząknąłem, próbując ukryć nerwowe czknięcie z aromatem trawionego piwa. – Nazywam się Piotr. Jestem alkoholikiem, a picie zniszczyło mi życie. – Nie wiedziałem, czy nie przegiąłem, ale nawet taki stary wyga jak ja ma system nerwowy. Nie zdążyłem dokończyć tej myśli, kiedy rozległy się brawa. – Wódka zabrała mi wszystko. Straciłem dom. – Brawa i gwizdy. – Straciłem dwa domy. – Brawa, gwizdy, krzyki: „Znam to!", „Nic się nie martw, stracisz i trzeci", „Mam wolne łóżko w kotłowni". – Straciłem prawo jazdy, kiedy po pijanemu jechałem przeprowadzić się do tego drugiego. – Poziom entuzjazmu nieco opadł, chyba byłem zbyt monotematyczny. – Pod wpływem szedłem do łóżka z kobietami, które z płcią piękną miały tyle wspólnego, co nasze centrum z knajpą. – Teraz klaskali i kiwali z uznaniem jedynie mężczyźni i Bożena trzeźwa od dekady. Dobra, chłopie, galopujesz jak ogier na Błoniach. Trzeba było jakiegoś finału. – Ale od kiedy po pijanemu dźgnąłem mojego pradziadka szpikulcem od szaszłyka podczas rodzinnego grilla, staram się nie pić. Silna wola nie pomaga, kiedy tyle pułapek wokół. I dlatego jestem tu dzisiaj. Z wami.

Największe brawa tamtego dnia. Nawet prowadzący kiwał głową z uznaniem. Bardzo byłem z siebie dumny.

Młodsza i łysawa wersja Elżbiety II nazywała się Katarzyna i już półtora roku marzyła o najmarniejszym drinku. Ostatni w kolejce był niejaki Karol, który oprócz imienia bąknął coś niezrozumiale pod nosem. On też podpadał pod niestrojopodobnych. Choć może był trochę za młody. Ale moim faworytem był ten z wąsem.

Okazja, żeby z bliska przyfilować wąsiastego Andrzeja, nadeszła rychlej, niż można się było spodziewać.

– Parę minut przerwy. Soki i kanapki pod ścianą – rzucił prowadzący, gdy tylko skończyła się ta szopka z przedstawianiem się. Taką terapię to rozumiem.

Pijacy rzucili się ku wskazanej ścianie szybciej, niż można by po ich sfatygowanych obliczach przypuszczać. Sam się rzuciłem wraz z nimi, bo jakoś tak się złożyło, że od śniadania nie miałem nic stałego w ustach. Lawirując zręcznie niczym Lionel Messi między obrońcami A-klasowej Iskry Stolec, znalazłem się tuż za obiektem mej inwigilacji. Niższy był ode mnie, wąski w ramionach i z plackiem łysiny na czubku głowy. W ogóle coś z nim było nie tak. Stopy stawiał do środka, a dłonie trzymał spodem do przodu. Kto normalny tak chodzi? Do tego stojąc, kołysał się na boki jak marynarz tuż po rejsie. Cóż, to pewnie niejedyna terapia, która by mu się przydała. Wryłem się przed grubasa tak, żeby znaleźć się koło wąsatego. Wąsy wyglądały na prawdziwe. Ale teraz robią nie takie cuda. Trzeba to sprawdzić. Koniecznie trzeba to sprawdzić.

– Od dawna tu chodzisz? – zagadnąłem, zjadając maciupeńką kanapkę z serkiem i łososiem. A zaraz potem dwie takie same, układając z nich jedną kanapkę wielkości takiej, żeby było co ugryźć.

– W tym roku zacząłem – odparł, obrzucając mnie nieufnym spojrzeniem, po czym pochłonął kanapkę, której połowa została na tych szlacheckich wąsiskach.

– Coś ci się przylepiło. Pozwolisz... – zareagowałem, nim zdążył majtnąć się na drugą stronę (bo kiwał się nawet w trakcie jedzenia kanapki) i chwyciłem go za opadający prawy (patrząc od mojej strony) wąs. Pociągnąłem. Krzyknął. Pociągnąłem dla pewności jeszcze raz. Krzyknął. Wytarłem serek o obrus.

– CO PAN? – był tak zirytowany, że nawet przestał się kiwać. Poczułem na sobie wzrok wszystkich wokół.

– JA TYLKO CHCIAŁEM POMÓC! – odwrzasnąłem, słusznie przekonany, iż nieracjonalne zachowania i odzywki są na porządku dziennym na tego typu zebraniach. Zbyt dużo trzeźwych pijaków w jednym pomieszczeniu. Wszyscy zajęli się jedzeniem, mlaskając i międląc w ustach. Wąsaty nalał sobie mineralnej, odszedł na swoje miejsce i zerkał na mnie nieufnie. „Ciebie, kolego – pomyślałem – trzeba sprawdzić dokładniej. Brak sztucznych wąsów w tym przypadku nie był żadnym dowodem. Chcąc się w końcu ukryć przed byłą żoną, lepiej chyba zapuścić sobie naturalne, nie? Właściwie to dowód na to, że się ukrywasz! Tak czy inaczej, trzeba cię lepiej sprawdzić”.

– Dobra. – Tymczasem prowadzący Tomek wrócił na swoje miejsce i przywoływał gestami wszystkich z powrotem. – Wystarczy tych przerw. Podczas zeszłego spotkania rozpoczęliśmy terapię zwierzeniami z dzieciństwa. Kto był z kim w parach? Stańmy tak jak byliśmy. Nowi członkowie ze sobą. Albo nie, Haniu (tu wskazał jedną z bliźniaczek), stań z Olgierdem, a Marek z Piotrem. Tak jest. Zwierzenia z dzieciństwa. Ale najpierw się przytulamy. Tak jest. Przytulamy się, zanim zaczniemy mówić o trudnych wspomnieniach.

Niepijący od wczoraj Marek rozwarł swoje ramiona jak kaleka ośmiornica. W centrum jego bandzioch czekał na przytulenie. Pomyślałem, że mam jednak inne plany.

– Nagła sprawa rodzinna! – stwierdziłem, odpychając ręce rwące się do przytulania. – Nagła jak cholera! Muszę już iść!

Wzbudziłem ogólne zamieszanie, cofając się ku drzwiom. Alkoholicy patrzyli na mnie jak na pomyleńca. Prowadzący coś mówił. Nie dosłyszałem, co, bo już byłem za drzwiami.

Uśmiechnąłem się do sekretarki i pudla.

Wyszedłem na świat. Na ulicę, na świat. Uśmiechnąłem się do wszystkiego.

Biuro Kowalskiego mieściło się w takim jednym nowoczesnym biurowcu przy Armii Krajowej. Cóż, nie byłem świadomy, że szyszka z niego. Biurowiec był klasy A, powiedziałbym nawet, że ekstraklasy. Wypucowany, oszklony, wychuchany, zautomatyzowany, żadnych plastikowych palm w donicach, sterylnie, ani pyłku, ani najchudszego pająka w rogu. No, miejsce stworzone dla ambitnych młodych ludzi, którzy wprost po studiach mogli tu wtłoczyć swe ambitne członki w kierat rzeczywistości. Sądząc po widoku, który roztoczył się przede mną w hallu, byłem pewny, że każda muszla klozetowa w tym budynku jest wypucowana lepiej niż mój blat kuchenny. Cieć, *pardon*, dżentelmen z recepcji, ubrany w kretyński mundur, chciał mnie na wstępie wyrzucić na ulicę, jako że „nie trzeba nam tu żadnych domokrążców". Po wyjaśnieniu pomyłki wsiadłem do windy i pojechałem na samą górę. Oprócz mnie – kilku kolesi i kilka panienek. Wszystkie co do jednej bardzo rajcowne. Wyglądały, jakby z każdą sekundą starały się mieć wypisane na twarzy coraz więcej ambicji, zapracowania i zafrasowania wynikami swojej firmy. Albo, co bardziej prawdopodobne, stringi im się wżynały. Zacząłem się podniecać, bo winda jechała cokolwiek wolno, jak na taką nowoczesność i wielki świat. Kolesie też wyglądali, jakby im się coś wżynało. Podniecenie zniknęło jak tętno prosiaka pod nożem rzeźnika.

Znalazłem piętro, znalazłem tabliczkę z napisem: „Sekretariat", poniżej którego widniało nazwisko Kowalski, no to wszedłem, mijając grupkę młodych (którym wszystkim co do jednego coś się wżynało), stojącą pod drzwiami. Olałem pełne oburzenia głosy, że tu kolejka, że wszyscy czekają, czy coś tam.

– KIEROWNIK JEST ZAJĘTY! – wydarła się na mnie sekretarka, gdy tylko przestąpiłem próg. – KTO PAN W OGÓLE JEST? BYŁ PAN UMÓWIONY?

– Słuchaj, laluniu, nie mam czasu na te pierdoły. Dzwoń do kierownika i mów, że przyszedł Filip Keller.

– ŻE CO?

– Że przyszedł.

– PANIE, JA... PO OCHRONĘ ZADZWONIĘ!

– No to już! Tylko dawaj pani najpierw szefa. No już! Mówię, nie mam czasu na pierdoły.

Tym razem nie odpowiedziała. Zamurowało ją na dobre. Po bliższym przyjrzeniu się stwierdziłem, że też była do rzeczy. „Cholera – pomyślałem. – Może trzeba było jednak iść na studia? Jedna na parędziesiąt takich koleżanek może poszłaby ze mną do wyrka po pijaku. Cóż, nie zamierzałem płakać nad rozlanym piwem. W końcu każdy sam stwarza sobie piekło".

Zaczęła dzwonić, pewnie po tych ich ochroniarzy. Byliśmy na ostatnim piętrze, w razie czego będą mieli długi lot na dół. Zapukałem kulturalnie do drzwi Kowalskiego i wszedłem do środka. Siedział za biurkiem wielkości dużego fiata i polewał sobie ballantine'sa do szklanki wielkości filtra oleju do tegoż fiata.

– Dla mnie podwójnego, poproszę – rzuciłem, sadzając dupę na krześle przed biurkiem.

– Pan Keller? Co pan tu robi?

– To sprawa nie na telefon. Dlatego tu jestem.

– Stało się coś? Dowiedział się pan czegoś? PANI BASIU, NIE MA MNIE DLA NIKOGO! – wydarł się, kiedy sekretarka wetknęła głowę do pokoju. Drzwi się zamknęły, a drink, podwójny, stanął przede mną. Nie pozostawiłem go bez opieki.

– Byłem u pana. Oto, co się stało... – Nie owijałem w bawełnę, ale wyłożyłem karty na stół, czytaj: kilka fotek na biurko. Wziął je w ręce i zaczął przeglądać. Zacząłem zastanawiać się, co gość na stanowisku kierowniczym (sekretarka, biurowiec, a pewnie i służbowy samochód oraz inne duperele), otóż co taki gość może mieć wspólnego z takim menelem jak Kudłaty. Bo to on go w końcu do mnie przyprowadził. Cóż, widać nawet goście na kierowniczych stanowiskach lubią mieć różne dziwne znajomości. Albo to kuzyni. Jeden i drugi mieli w końcu podobne, przymuliste spojrzenie.

– He, he, he. He, he, he. – Kiedy się śmiał, trzęsły mu się uszy i łysina. W ogóle cały lekko się trząsł. – He, he. To dobre. To jest bardzo dobre... Hi, hi...

– A czapka? Widział pan czapkę?

– He, he, he.

– A swastyka? Swastykę pan widzi?

– Taa. He, he, he. – Teraz jeszcze zaczerwieniły mu się policzki i czoło. Wyglądał jeszcze paskudniej niż normalnie. Jakby się podniecił. Popiłem. Dobra whisky.

– Panie Kowalski. Byłem tam. To nie Photoshop. Byłem tam. Na własne oczy widziałem tego nazistowskiego babsztyla z cycami jak donice od rododendronów. A ten mały zboczek chrumkał jak świnia, kiedy go batożyła po dupie.

– Chrumkał?

– Tak jest.

– He, he, he.

– Chryste, panie Kowalski. Byłem tam przez piętnaście sekund może, a już zacząłem dostawać zespołu jelita drażliwego. Albo czegoś takiego. Przecież brakowało tam tylko oddziału Hitlerjugend.

– No, niech pan nie przesadza. To nasza gosposia. Nie wiedziałem, że gustuje w takich zabawach.

– A ten dżentelmen z ryjkiem?

– Jego nie znam. Pewnie jakiś jej znajomy.

– No chyba, że nie przechodził ulicą, nie potknął się i nie upadł na wyrko, ładując się w locie w plastikowy ryj i majty z ogonkiem.

– Cóż, z gosposią muszę pogadać. To w końcu nasza sypialnia...

– Mogę za pana z nią pogadać.

– Nie trzeba, nie trzeba – powiedział. A wzrok miał niczym szczeniak, dla którego szykują kawał mięcha. Pomyślałem, że pokojówka będzie miała dodatkowy kran do wypolerowania. Cóż, nie był to mój problem.

– Mówił pan, że żona siedzi w domu.

– Mówiłem, że nie pracuje. Przecież nie siedzi w domu całymi dniami i nocami. Ma jakieś swoje psiapsióły, chodzą do kosmetyczki przypudrować tyłki, przyciąć pazurki, wie pan, takie tam. A właśnie, właśnie. Pojutrze wybiera się do spa do Krynicy.

– Do Krynicy? Teraz mi pan mówi? To pewnie tam się będzie gzić z tym gach... *pardon*, spotykać z tym tamtym od syfa.

– No właśnie wiem. Sama mnie o tym wyjeździe powiadomiła z pół godziny temu, więc dobrze, że pan przyjechał. Jadą z tym całym babińcem, ze trzy albo cztery, a co jedna to gorsza zołza.

– A gdzie to spa?

– W Krynicy.

– Panie Kowalski, może i jestem tępy, ale nie przygłuchy – syknąłem.

– Nie pamiętam, jak się nazywa. Kiedyś ją tam odwoziłem, to tam naprzeciwko tej nowej kolejki linowej. Więcej spa tam nie ma, to tak, jakby postawić dwa McDonaldy obok siebie.

– No tak. Pojutrze, mówi pan?

– Tak. Jadą jej samochodem. Zapowiedziała powrót w sobotę.

– Dwa dni delegacji. To generuje dodatkowe koszty. Wie pan, żeby ją śledzić, muszę się zatrzymać w tym samym hotelu. No i przejazd, przejazd.

Wyjął portfel, przeliczył coś w środku i położył kilka setek na biurku, pomiędzy nami. Pięć, pięć setek, które trafiły do mojego portfela. Grubego teraz na całe pięć banknotów.

– To powinno wystarczyć.

– Pierwszy się pan dowie, jeśli nie starczy – zażartowałem, ale chyba nie był w nastroju. – To ja już pójdę. Jak coś będę wiedział, dam panu znać. – Wstałem i poszedłem do wyjścia. Strasznie wielki miał ten gabinet. Na nieszczęście po drodze wyobraziłem sobie tę jego sprzątaczkę, odzianą w hitlerowskie fatałaszki, podczas odkurzania tego sraczkowatego dywanu wielkości połowy kortu tenisowego. Panie Boże, zmiłuj się. – Miłego sprzątania, panie Kowalski.

– Że co? – rzucił zza biurka.

– Do widzenia panu.

– Do widzenia, do widzenia.

Na korytarzu wszystko było tak, jak przed niedawną chwilą. Młodzi i oburzeni z wytrzeszczem i wściekłością w oczach rzucili się do mnie z pretensjami, jak ja śmiałem itp. Olałem ich z góry na dół i poszedłem dalej, samotny, wyprostowany, z kamiennym obliczem. A gniazdo kapitalizmu osaczało mnie coraz bardziej – sam przeciw szklanym drzwiom, komputerom, ścianom z obrazami niczym wymioty schizofrenika, lampom wdzierającym się do mojej głowy sztyletami błysków, windom jak szyby do piętrowych grobowców, coraz niżej i niżej.

Był późny wieczór, zimno jak w Oslo o tej samej porze roku i ciemno jak wiadomo gdzie. Stałem polonezem naprzeciwko bramy wiodącej do Dromadera. Temperatura w środku zdążyła opaść do jakichś trzech powyżej zera i zaczynałem mieć dreszcze. Trzeba było ruszyć tyłek. Wysiadłem i poszedłem chodnikiem dalej, wzdłuż Krowoderskiej. Doszedłem do skrzyżowania, przeszedłem na drugą stronę i niespiesznie, spacerowym krokiem, ruszyłem z powrotem. Zaczęło mżyć. Nie było nikogo w zasięgu wzroku. Dobrnąłem do bramy i wszedłem do środka. Przed wejściem na podwórko przystanąłem w ciemności. Jedynie nieliczne okna zasłonięte przybrudzonymi zasłonkami dawały trochę światła od podwórza. Porno-szop był zamknięty na cztery spusty. Nikogo, nigdzie. Podszedłem spokojnie i pewnie do drzwi Centrum Terapii Uzależnień. Jeszcze rzut oka za siebie, ale ciemno było, choć oko wykol – jak to piszą w różnych marnych powieścidłach.

Drzwi były solidne, ale zamek już nie tak bardzo. Wyjąłem futeralik z wytrychami i z trudem (ciemności) wybrawszy odpowiedni, popracowałem chwilkę, dwie minuty. Cóż, nie byłem w końcu złodziejem, tylko stróżem prawa.

Zamknąłem za sobą drzwi i wtedy przypomniało mi się, że zostawiłem w wozie latarkę. No żesz twoja kurwa złośliwa mać. Wzrok przyzwyczajał mi się do ciemności, podczas gdy nasłuchiwałem syren. Postałem chwilę, a potem poszedłem, jak mi się wydawało, w kierunku recepcji. Wpadając na ściany i niemal przewracając dystrybutor z wodą, dotarłem w końcu do wysokiego blatu. Obszedłem go i na blacie, po stronie sekretarki, namacałem lampę. Blat, czy raczej długie biurko, był zawalony przyborami do pisania, spinaczami, karteluszkami, stertami papierów, linijkami, dziurkaczami, a nawet rzeczami, których przeznaczenia nie potrafiłem zgadnąć, nie mówiąc o ich nazwie. Komputer stał pod spodem, w dużym monitorze odbijało się światło żarówki. Właścicielka pudla do porządnickich nie należała. Włączyłem komputer i czekałem, aż się rozkręci. Czekałem i czekałem, a w środku rzęziło straszliwie. Poszedłem i nalałem sobie wody z dystrybutora. „Te emocje cię kiedyś zabiją, chłopie". Nalałem do pełna po raz drugi i wróciłem do komputera. Żądał hasła. Tego nie przewidziałem. Kurewska maszyna.

Siedziałem i próbowałem coś wykombinować.

Siedziałem dalej.

I nic.

A potem pomyślałem, że w takich służbowych komputerach zmieniają hasła co miesiąc czy tydzień. Sekretarka nie wyglądała na taką, do której Mensa wysyła uniżone prośby o łaskę wstąpienia w ich niegodne szeregi. To pewnie gdzieś wśród tego wszystkiego zapisywała sobie te zmieniające się hasła, no – ja bym tak pewnie robił. Zwykle nie byłem pewien, jaki mieliśmy dzień tygodnia, a co dopiero, gdybym musiał co rano przypominać sobie jakieś durne wyrazy, nazwy własne czy co tam sobie w takich przypadkach pracownicy biurowi wymyślają. Taa. Zacząłem przeglądać leżące szpargały. Aż się spociłem przy tej robocie. Piękne ognisko by było z tych wszystkich papierzysk. Kartki A3, A4, kartki z notesu, z kalendarza, przylepne od rozmiaru naparstka do zeszytu, zmięte i jak nowe, zapisane i czyste, a wszędzie pomiędzy: spinacze, pinezki, zszywki, ołówki, długopisy. Opadłem na oparcie i strzeliłem sobie leczniczego łyka-dwa z dyżurnej piersiówki. Whisky nieco uspokoiła moje skołatane serce i nerwy jak porwane sieci rybackie. Odrobinę za mało, no to jeszcze je uspokoiłem. „A może to jest normalne biurko normalnej sekretarki? – pomyślałem. – Nie poddawaj się, chłopie. Łyknij jeszcze jednego i nie ustawaj w staraniach" – tak mi podpowiadała podświadomość.

Niegrzecznie byłoby nie słuchać podświadomości.

Zanurkowałem jeszcze raz w to wysypisko. I nagle – bingo! Na podstawie monitora przylepiona była kartka z nabazgranym „Euforia16". Coś równie durnego mogło być jedynie hasłem do systemu.

Spróbowałem.

Pyk.

Zadziałało.

„Chłopie – pomyślałem – marnujesz się w tym zawodzie. Jesteś stworzony do czegoś lepszego. Gdzie półnagie dziewice? Gdzie premia kwartalna, za którą normalny przechodzień przeżyje piętnaście lat? Gdzie służbowe audi i służbowe półnagie dziewice? A ty tu, w tej dziurze, na biurku jak na wysypisku, grzebiesz w śmietniku ludzkich losów".

Zaczynałem popadać w niebezpieczny dla prywatnego detektywa patos, znów więc podleczyłem się trochę i zagłębiłem w elektroniczną plątaninę na ekranie. I pomyślałem, że gdybym ja pracował w podobnym miejscu, w podobnym biurze, to na hasło wybrałbym coś z pary „Depresja16" lub „Wkurwienie16".

Po piętnastu minutach i osiągnięciu dna piersiówki znalazłem właściwy program. W arkuszu były wszystkie godziny spotkań i uczestnicy. Znalazłem naszą grupę i był tam Andrzej Nieswój. Przeczytałem jeszcze raz. NIESWÓJ. Bardziej kretyńskiego pseudonimu nie mógł sobie wymyślić. Było i zdjęcie, wąs jak na mityngu. Sprawdziłem PESEL – strzał w dychę! Ludzie jednak są idiotami. Czemu i tego nie zmyślił?

Po dłuższych staraniach udało mi się wydrukować jego *dossier* z fotografią. Wyłączyłem światło, poszedłem ku wyjściu, obiłem się o kontuar, o ścianę, o dystrybutor, dotarłem do drzwi, odwróciłem się, obiłem się o wszystko, co było mniej więcej na drodze, zabrałem piersiówkę z biurka, wróciłem do drzwi, zamknąłem je – nie wiedzieć czemu o wiele łatwiej mi poszło niż z ich otwarciem. I poszedłem wśród martwego, cichego i ciemnego podwórka, a potem ulicy – do samochodu. Nie chciał, skubany, zapalić, ale to ja byłem bardziej wytrwały. Pojechałem do siebie, starając się spowodować jak najmniej wypadków.

Następnym dniem był czwartek. Postanowiłem zrobić sobie niedzielę. Wyjazd do uzdrowiska zapowiadał się dopiero nazajutrz. Ale nawet w wyrku, przed telewizorem, ze zmrożoną puszką w dłoni, wciąż kombinowałem, jak dobrać się do tyłka pani Kowalskiej. Jak ją przyskrzynić na gorącym uczynku i jak obezwładnić. No i, oczywiście, jak ją postawić przed sądem, czyli mężem. Cóż, dzień był taki sobie, jak wszystkie pozostałe, ale czułem przypływ, może nie mocy, bardziej weny do śledztw – odrobinę tak. No a wiadomości w naszym pięknym kraju przychodzą w sukurs takiemu fachowcowi jak ja.

„To może być przełom w śledzwie w sprawie morderstw młodych kobiet w Krakowie”– donosił z ekranu młody spiker z zezem rozbieżnym. Czy oni tego nie widzą? Przecież nie można się skupić na tym, co koleś mówi, kiedy zamiast na ciebie, patrzy na twój sufit. – „Policji udało sie sporządzić portret pamięciowy Rzeźnika w Krowodrzy. Taki bowiem przydomek nadali mu mieszkańcy miasta po pierwszej zbrodni. Pierwszą, poćwiartowaną ofiarę znaleziono w śmietnikach domów przy ulicach Nawojki, Lea i Królewskiej. Jak potwierdziła policja, wszystko wskazuje na to, że znalezione na nabrzeżu Wisły drugie ciało należy do ofiary tego samego mordercy". – Teraz z kolei zezował wprost we mnie, a dobrym okiem w sufit. – „Jako pierwsi pokazujemy portret pamięciowy mężczyzny, który prawdopodobnie jest sprawcą tych odrażających zbrodni" – powiedział, zezując obydwoma oczyma w sufit, po czym na ekranie ukazał się szkic twarzy. Nie wiem, czy policjanci się napracowali, ale takie gęby widuję u co trzeciego kolesia na ulicy. Żadnych wyjątkowych cech. Żadnych brodawek wielkości truskawki na czole ani króliczych zębów. – „Podejrzany prawdopodobnie utyka, ma około 30–35 lat, 180 cm wzrostu. Był widziany w pobliżu miejsca odnalezienia obu zwłok. Wszystkich, którzy rozpoznają mężczyznę z portretu, prosimy o kontakt z policją pod numerami 997, 112 bądź na najbliższym posterunku policji". To mógł być każdy. Wyjąwszy kobiety i nieutykających. Telewizja to pułapka. Powinienem dawno wyrzucić ten złom przez okno. Poszedłem do kuchni, wyjąłem z lodówki kolejne piwo, zrobiłem sobie kanapkę z pasztetem i wróciłem do wyrka.

Piątek od samego rana zapowiadał się gównianie. Nie miałem z czego zrobić sobie śniadania, bo skończył mi się pasztet. Ubrałem się, podlałem paprotkę i wyszedłem do sklepu kupić coś na śniadanie i na wałówę w góry. Polonezem do Krynicy jest dalej niż mogłoby się wydawać.

Na klatce przy otwartej szafce z licznikami gazu stało dwóch gości. Coś majstrowali. Przywołałem windę i podszedłem bliżej. Wykręcali, zdaje się, gazomierz. Nabazgrane flamastrem widniało na nim: „119". Kurwa mać.

– Co panowie robią, do chuja pana? – zagaiłem.

– A dzień dobry to już nie łaska? – spytał jeden, który notował coś w formularzu. Był niski, łysy i paskudny. Drugi też był niski i łysy. I jeszcze bardziej paskudny. Wyglądali jak bracia, którzy od dziecka okładali się po ryjach. – Człowiek w pracy, spełnia swoje obowiązki służbowe, a nawet dzień dobry nie usłyszy.

– Dzień dobry. Co panowie robią, do chuja pana?

– Zdejmujemy gazomierz.

– To widzę. I to mój gazomierz!

– Pan Keller? Moje nazwisko Sass, przez dwa s. Rejon Dystrybucji Gazu Kraków-Krowodrza. Pan się tu podpisze. – Wręczył mi taką plastikową podstawkę z klamrą u góry, do której przypięty był protokół zdjęcia gazomierza, czy coś w tym stylu. Byłem w zbyt wielkim szoku, by czytać.

– Ale o co chodzi?

– Ja tam nie wiem. Wiesz Zdzisiu, o co chodzi? – spytał tego drugiego, który tymczasem plombował sterczące kikuty rur.

– Pan pojedzie do biura na Balickiej. Tam panu powiedzą. My tylko spełniamy swój obowiązek.

– Dokładnie.

– Chryste Panie. Chodzi o rachunki? To nie można było wcześniej mnie zawiadomić, bo ja wiem, listu wysłać czy co?

Popatrzyli po sobie.

– Pan żartuje, co nie? To taki żart z rana?

Tymczasem przyjechała winda. Popatrzyłem na tego Sassa przez dwa s, na tego drugiego, na mój gazomierz – po raz ostatni – i pomyślałem, że chyba jednak niewiele tu zdziałam.

– Czytali panowie poemat prozą *Moskwa-Pietuszki* niejakiego Jerofiejewa?

– Hę?

– Tak myślałem. Otóż, parafrazując go, powiem tylko, że trzeba być żelaznym pedrylem, żeby pozbawiać ludzi paliwa gazowego – powiedziałem i wlazłem do windy.

– My też panu życzymy miłego dnia! – powiedział zza okienka Sass na tyle głośno, żebym mógł usłyszeć. Skubańcy przy takiej robocie musieli mieć skórę grubą na cal. Zdążyłem pokazać im jeszcze wała i już mknąłem w dół dźwigiem równie starym jak ja.

Zapomniawszy o głodzie, pomknąłem moim wehikułem do biura na Balickiej. Musiałem sprawdzić, na ile zalegam i co bardziej mi się opłaca: spłata długu czy kupno czajnika elektrycznego. Co do gotowania, zawsze mogłem kupić kuchenkę turystyczną. Albo jechać na samym pasztecie.

Znalazłem biuro, zaparkowałem, wszedłem do środka, znalazłem kolejkę do kas czy do okienka i stanąłem za kimś, kto z tyłu nie przypominał ani babki, ani faceta. Stałem i stałem, stałem i stałem, patrzyłem w sufit, patrzyłem w podłogę, stałem, stałem, patrzyłem na kasy, patrzyłem na kasjerki i oceniałem te co bardziej rajcowne, czy dopuściłaby mnie jedna z drugą do swojego zagajnika, stałem, patrzyłem i jak najmniej myślałem, a kolejka poruszała się w tempie ruchów robaczkowych jelit kogoś z zatwardzeniem.

Od samego rana ten dzień zapowiadał się beznadziejnie. Nie trzeba było wstawać, Keller, nie trzeba było.

Jakaś paniusia, wychodząc po półgodzinnej rozmowie z kasjerką (są tacy ludzie, można ich spotkać wszędzie: w bankach, na pocztach, w urzędach, w aptekach – o, szczególnie w aptekach – którzy czują się dobrze, kiedy przez dwadzieścia minut mogą sobie pogadać z tym po drugiej stronie okienka, bo w końcu on poświęci im swój czas i nie ucieknie, bo jest w robocie), potrąciła mnie. Torebka i papiery rozleciały się, pospadały na ziemię. Westchnąłem i już miałem się zabrać za pomaganie, ale ubiegł mnie jakiś gówniarz zza mnie, więc dalej stałem i patrzyłem na kasjerki. Co będę robić tłok w parterze.

Pozbierali wszystko, co tam było, wymienili uprzejmości i – być może – numery telefonów, podnieśli się, i kiedy już zwróciła się znów ku wyjściu, kiedy już wychodziła, zatrzymała się na chwilę i zerknęła w moim kierunku.

– Ależ pan rycerski. Kobiecie wypadła torebka, a pan udaje, że nie widzi.

– Torebka? Żeby to była sama torebka! Przecież to jakieś cholerne archiwum! Poza tym to nie ja panią staranowałem. No, a ten uczynny młodzieniec zrobił wszystko tip-top. Zachował się i w ogóle. Może mu pani dać buzi. Ja dziękuję.

Nic nie odpowiedziała, zresztą nie byłem zainteresowany. Patrzyła tylko chwilę, potem poszła dalej, dwa kroki, stanęła, zawróciła, znów dwa kroki.

– Nie poznajesz mnie?

– Nie bardzo.

– Nie?

– Droga pani, czasem lepiej nie dzwonić, tylko zachować piękne wspomnienia. – Gdzieś mi świtały te włosy, gdzieś dzwoniło, ale nie bardzo wiedziałem, w którym kościele, więc wolałem być ostrożny.

– CO TY BREDZISZ, MELLER, CZY JAK CI TAM! – wydarła się. Przy wszystkich, a było nas tam ze czterdzieści osób. – Nie pamiętasz mnie? W zeszłym roku przyszłam do ciebie do biura. Bo ten ktoś mieni się PRYWATNYM DETEKTYWEM, proszę państwa. Mówił, że mi pomoże. Że rozwiąże moją sprawę. No i co. I CO?

Coś mi zaświtało, choć z pamięcią u mnie nie bardzo.

Chwyciła mnie za kurtkę i potrząsnęła tam i z powrotem. Miałem ochotę jej przylutować, ale było zbyt dużo świadków. Cóż, od rana zapowiadało się na szambo, a nie udany dzień.

– Prywatny detektyw... a to dobre... człowieku, przecież ty nie potrafiłbyś wyśledzić własnego tyłka, gdybym ci to zleciła!

– Mówił już ktoś, że bardzo pani dowcipna?

– Nie.

– Tak myślałem.

Atmosfera wokół gęstniała. Nawet kasjerki zaczynały na mnie spoglądać nieufnym okiem.

– Przez dwa tygodnie, co tam dwa, przez miesiąc chyba ten tu pracował dla mnie – mówiła teraz do wszystkich wokół, a ja byłem jak w oku cyklonu. – Chodziło o kradzież samochodu – wyjaśniała dalej. – A w samochodzie była teczka... zresztą nieważne. Policja, jak to wiadomo, nic nie zrobiła. – Wszyscy mimowolni widzowie kiwali głowami z aprobatą. – No to wynajęłam tego tu. I po miesiącu ponagleń, przypomnień, dopłat, co? CO? – Znów chwyciła mnie za kurtkę. Nie, no chyba jednak jej przysunę... – CO? Stwierdził, że mój samochód został skradziony przez braci syjamskich. PRZEZ CHOLERNYCH BRACI SYJAMSKICH! A właściwie to przez jednego, bo drugi to nieświadome niczego warzywo na prochach! I coś jeszcze stwierdził? Że zgodnie z prawem nie można tego pierwszego pociągnąć do odpowiedzialności, bo ten drugi jako niepoczytalny byłby skazany za niewinność! I że samochodu nie ma już w kraju!

Trochę koloryzowała, tak mi się przynajmniej wydawało. Sprawa ginęła gdzieś w odmętach początków mojej błyskotliwej kariery. Ale coś chyba faktycznie było na rzeczy.

– No, bo zgodnie z literą prawa... – zacząłem się tłumaczyć, ale nie dała mi tej szansy.

– A wiesz, gdzie możesz sobie wsadzić tę literę? Powiedzieć ci, gdzie? – zasyczała groźnie, ale w końcu odstąpiła na krok. – I wiedzą państwo, co? – znów zwróciła się do widowni. – Okazało się, że tych bliźniaków czy braci sobie oczywiście zmyślił, całe pieniądze przepił i bity miesiąc leżał do góry brzuchem.

Ech, tracić nerwy na takie indywidua... – Tsunami wzburzenia już się przewaliło, westchnęła jeszcze na koniec, poprawiła torebkę na ramieniu, grzywkę, i już jej nie było. Zostałem sam i kilkadziesiąt par oczu wpatrzonych we mnie, jak w nadzwyczaj ciekawy okaz ropuchy.

– Khm... – odchrząknąłem, ale nie było sensu nic mówić. Stałem tam jak Murzyn w siedzibie Ku-Klux-Klanu, gdzieś w Missisipi lat pięćdziesiątych. Nie pozostawało nic innego, niż obrócić się na pięcie i dać w długą.

„Są takie dni, chłopie, po prostu są takie dni" – myślałem. To tak, jak z tym Japończykiem, o którym ostatnio pisali z tej okazji, że umarł w wieku dziewięćdziesięciu iluśtam lat. W 45. był w Hiroszimie na delegacji, właśnie kiedy Amerykanie spuścili na łeb jemu i jego kolegom pierwszą bombę. Poparzyło go, wyrwało kawał mięcha tu i tam, ale przeżył. Pocerowali go, polali jodyną, obandażowali i powiedzieli: „Wracaj do domu". No to poszedł, czy tam pojechał – gdzie? Do domu w Nagasaki. Pewnie te trzy dni później leżał sobie w ogródku czy w wyrku, myślał o tym, jacy to ludzie są pomyleni, jak można robić takie rzeczy i co to tak w ogóle było to coś, kiedy pierdolnęło po raz drugi. Więc pewnie znowu go pocerowali, polali i obwiązali, jeśli była taka konieczność. No i chyba, jak już doszedł do siebie, przemknęło mu przez myśl, że lepiej będzie, jak uda się gdzieś w leśne ostępy, zamiast, dajmy na to, do Jokohamy, choć to przecież całkiem ładne miasto.

Taa, po prostu trzeba mieć fart. Postanowiłem darować sobie próby załatwiania czegokolwiek tego dnia.

Gdy już doszedłem do wniosku, że równie dobrze, co podejmować kretyńskie próby udawania przeciętnego obywatela, mogę pół dnia wygrzewać kanapę, było już popołudnie i trzeba było się zbierać. Wziąłem gacie na zmianę, dwie kanapki i mapę tych cholernych gór, bo w Krynicy ostatnio byłem ze trzydzieści lat wcześniej. Cóż, najwyżej będę jechał na południe, dopóki nie przestaną mówić po polsku, potem skręcę w lewo i w końcu dojadę.

Cztery godziny później byłem na miejscu, a te cztery godziny można było spuścić do kanalizacji, nic więcej.

Gdy tylko zobaczyłem hotel, wiedziałem już, że tymi pięcioma stówkami to mogę sobie fajkę przypalić. Własnych środków inwestować nie zamierzałem. Tym bardziej, że na koncie szalała recesja. Z poczucia obowiązku poszedłem do recepcji i spytałem o cenę, a panienka (30 plus i wyglądała tak, że chętnie służyłbym jej jako podnóżek albo, kurde, drapaczka do pleców) patrzyła na mnie jak na kawał przyschniętego do podeszwy łajna. Ale może byłem uprzedzony, a ona miała zapalenie spojówek. W hallu było ciepło, przytulnie i bardzo sennie: dywany, fotele, dalej pewnie jakiś miły bar z klientkami owego spa, no, mógłbym tu pobyć trochę bez szkody dla zdrowia. Po podaniu ceny westchnąłem i odwróciłem się na pięcie. Wyszedłem, a mroźny i ciemny wieczór znów spadł na mnie jak gilotyna. Samochód pani Kowalskiej stał na samym początku parkingu, więc pewnie gdzieś tam sobie teraz brały te kąpiele błotne czy inny chłam za tysiąc złotych netto. Powlokłem się do samochodu. Zapowiadał się kiepski weekend.

Nocleg znalazłem nie tak znów daleko. Szczurów i prusaków nie było, bar czynny, serwowali sprawiedliwe porcje, piwo było zimne, wódka też. Mimo tak miłych okoliczności, ogarniała mnie depresja, większa od Jaworzyny. „Po co ci to, chłopie? Trzeba było zostać w twoim mieście, znasz tam wszystkie ścieżki, nie ma tych cholernych gór, rzeźnicy z Krowodrzy czekają na złapanie, a ty tu będziesz próbował nakryć jakąś kobitę, kiedy będzie się rżnęła z przygodnie poznanym góralem. Chryste, aleś sobie wybrał gówniane zajęcie".

Cóż, za późno było na zmianę zawodu, na studia antropologiczne bądź karierę sportową. Na skoczka narciarskiego masz za wielki bandzioch. Na szachistę – za mało cierpliwości, żeby nie przylutować temu po drugiej stronie. Wszystkie stołki ministerialne też chyba zajęte. Siedziałem w podłej knajpie i opróżniałem popielniczki świetnie się bawiących, oto, co robiłem. „Nie łam się, Keller" – pomyślałem.

– Jeszcze raz to samo…

Oczywiście upiłem się na smutno. Potem, a była chyba pierwsza w nocy, odłożyłem na bok plany niezwłocznych odwiedzin pani Kowalskiej w spa i przyłapaniu jej z tyłkiem na wierzchu. Zamówiłem jeszcze piwo na wynos i poszedłem do siebie. Korytarze po drodze do mojego pokoju były puste i mroczne; bardzo przypadły mi do gustu.

„Jutro będzie też lepszy dzień, stary – pomyślałem nieco bez składu. – Dzisiaj jest lepszy dzień".

Ten niby lepszy dzień zaczął się od tego, że jakiś gówniarz latał po korytarzu i darł się, jakby go kto przypalał lutownicą. Żałowałem, że jednej nie miałem, bo faktycznie przypalony darłby się nie głośniej. Usiadłem, dopiłem resztkę wygazowanego piwa i poszedłem się odlać. Ogoliłem się, żeby trochę mniej przypominać menela, bo tacy w spa nie mają czego szukać.

Wsunąłem jajecznicę w barze i poszedłem wśród zimowych okoliczności poboczem szosy. Narciarze już zdążyli zapełnić parking, a kolejka do wyciągu zaczynała się z dziesięć kroków dalej. Miałem lekkiego kaca i to, plus ziąb, plus brak odzieży odpowiedniej do warunków polarnych, zaczynało mną telepać, a piersiówki nie wziąłem. Przyspieszyłem kroku i już za chwilę znów znalazłem się w hallu przybytku piękności, który w świetle dnia wyglądał równie przygnębiająco. Panienka z recepcji z poprzedniego wieczoru zniknęła. Zastąpił ją kolo, który z kolei przypominał panienkę. Popatrzył na mnie wyczekująco, ruszyłem więc z kopyta w lewo, w nadziei, że będzie tam jakiś bar.

Był. No to usiadłem na stołku, kurtkę położyłem na drugim, i zamówiłem piwo. Kosztowało tyle, że powinna mi je podawać półnaga Halle Berry. Nic z tego. Wróciłem szybko do życia i rozejrzałem się wokół.

Stoliki, głębokie skórzane fotele, wszystko w zaszczanych bielach. Sporo ludzi, głównie kobiety. No, a kto siedział naprzeciw baru, przy wyjściu na taras? Pani Kowalska z trzema przyjaciółkami! Ma się farta. I wyczucie. Popiłem w ramach toastu i usiadłem bokiem, aby móc prowadzić obserwację kątem oka.

O jakich pierdołach one nie gadały! Jasne, człowiek poznał kilkadziesiąt kobiet w życiu, paręnaście zagadał, parę udało mu się zaciągnąć do wyrka, a zrozumiał może z jedną, a może i to nawet nie. Ale każdy, każdy się łudzi, że potrafiłby ich słuchać bez konieczności popijania. Gówno prawda. A to, co łowiłem jednym uchem wśród śmichów-chichów i pisków, wymagało mocniejszego alkoholu. Ale byłem na służbie, więc zamówiłem kolejne piwo. Wciąż chichrały się jak naćpane. Popijały kawkę, soczki, drinki i chichrały się. Przy innych stolikach sytuacja wyglądała podobnie. Na dobrą sprawę cały lokal był w znakomitym humorze, oprócz mnie. Coś im pewnie dosypywali do jedzenia. Za taką stawkę za noc mogli sobie na to pozwolić. Ale nie pracowałem w DEA, tylko miałem przyłapać panią Kowalską w łóżku z gachem. Trzeba było im się przyjrzeć. Wziąłem czasopismo pozostawione przez kogoś na stołku obok i, rozłożywszy je przed sobą, zwróciłem się ku tarasowi. Znad górnej krawędzi gazety mogłem je wszystkie obserwować jak należy.

I tak: pierwsza z lewej siedziała blondyna z włosami zaczesanymi do tyłu. Miała upudrowaną, wąską twarz i kolczyki wielkości frisbee. Wiek – między trzydzieści a sześćdziesiąt. Przypominała taką jedną moją ciocię, która miała hyzia i doprowadziła trzech z kolei mężów prościutko do grobu. Obok niej siedziała kolejna blondyna, szeroka tu i ówdzie, z papierosem przylepionym do wargi. No, widać zakaz palenia obejmował tańsze lokale. Zapaliłem sam i obserwowałem dalej, skrzętnie notując w pamięci niezbędne informacje. Ta druga kolczyków nie miała, miała za to dekolt tak głęboki, że kanion Colca mógł się przy nim poczuć jak młodszy brat. Wiek: czterdzieści – sześćdziesiąt. Dwie kolejne, w tym pani Kowalska, były młodsze od tamtych o dobrą dekadę. Najpierw trzecia nieznajoma. Ciemne włosy, ładniutka twarz i nic widocznego gołym okiem pod bluzką. Również paliła, wypuszczając pióropusze dymu, i popijała często drinka z palemką. Śmiała się, czy raczej rechotała najgłośniej w okolicy. I w końcu mój obiekt, najładniejsza ze wszystkich, co stwierdziłem z niejaką ulgą, no bo w końcu to ją musiałem najpilniej inwigilować. Na żywo wyglądała równie nieźle jak na zdjęciu.

Wszystkie były ubrane chyba drogo i raczej bez gustu. O ile mógł to stwierdzić taki esteta, jak ja. Wyglądały jak modelowe żony mężów na dyrektorskich stanowiskach. I było to chyba zgodne z prawdą. Miały już lekko w czubie i zanosiły się co chwila kretyńskim chichotem. W przerwach mówiły przyciszonymi głosami, pochylone nad drinkami albo nad uchem sąsiadki.

Minął kolejny papieros i pół piwa, aż się zorientowałem, że te śmichy to między innymi ze mnie. Poczułem się jak uczeń przyłapany na ściąganiu. O, znowu. Rzuciły na mnie ośmioma parami oczu i znów wpadły w wesołość. „Może coś mam na gębie" – pomyślałem. Albo fryzura nie ta, ale to chyba teraz w modzie. I przecież wciąż kryłem się fachowo za tym czasopismem ze stołka obok. Chwila, chwila... tak jakby na mnie, ale i nie na mnie się gapiły... Wtedy dopiero rzuciłem pobieżnie okiem na trzymane w rękach piśmidło.

„Listy do redakcji" – tak brzmiał nagłówek na stronach, które miałem przed nosem. „Zdradził mnie chłopak... – zaczynał się pierwszy z brzegu – byliśmy trochę pijani i ja poszedłem spać, a kiedy wstałem, znalazłem ich w salonie. Robili to na dywanie, z Krystianem, z tym samym Krystianem, z którym tak wspaniale się nam rozmawiało...". Tu zacząłem odczuwać niepokój. Panie naprzeciwko były bardzo, ale to bardzo wesołe. Poczułem się, jak uczniak przyłapany na ściąganiu majtek koleżance podczas apelu. Podpis pod listem nie zostawiał pola dowolnej interpretacji: „Zraniony do cna Fabian". O kurwa. Położyłem pismo z powrotem na miejsce. Okładka darła się różowawym tytułem „GEJZER – Miesięcznik o mężczyznach dla mężczyzn". I jeszcze ten koleś ubrany w siatkę na ryby albo co... Święta Tereso... Mogłem darować sobie Krynicę na jakieś trzydzieści lat. Odwróciłem się i wypiłem kilka mocarnych łyków. Barman przypatrywał mi się bez wyrazu. Cóż, byliśmy w spa, i to nie najtańszym, niejedno tu się musiało wyrabiać. Wstałem tak, by już nie zwracać na siebie zbytniej uwagi, po czym ewakuowałem się drzwiami z baru. Kobiecy śmiech niknął gdzieś za załomem korytarza, po lewej.

Nie bardzo wierzyłem, że teraz uda mi się przyłapać kogokolwiek cudzołożącego, a już na pewno nie mój obiekt. Ale służba nie drużba, a poza tym poczułem potrzebę fizjologiczną.

Kibelek był nieopodal. Sterylnością przypominał salę operacyjną i samo postawienie w nim klocka było warte z połowę stawki za noc w tym przybytku. W życiu nie byłem w takiej toalecie. Wszystko było zautomatyzowane, trzeba było postarać się jedynie o należyte podtarcie. Prawda czasu... Korytarz był cichy i pusty. Ale śledzenie to nie ekstraklasa piłkarska, trzeba zapierdzielać. Dalej zaczynało się właściwe spa. Gabinety, pokoje, sale, grube dywany i matowe drzwi. Nie bardzo wiedziałem, co robić. Przecież to wszystko było beznadziejne, bez najmniejszej szansy na sukces. Z równym powodzeniem mógłbym starać się o rękę albo inną część ciała Cindy Crawford. Postanowiłem wrócić do baru i strzelić sobie jeszcze piwko. Pieprzyć fałszywą opinię. Wtedy z pokoju tuż obok wyszła pani w białym fartuchu i zmierzyła mnie surowym wzrokiem. Ja ją też.

– To pan zamawiał sesję ultraoczyszczającą?

– Ultra... co?

– Proszę za mną. – Mimo młodego wieku wzrok miała niczym doświadczona nauczycielka, ale poszedłem za nią, bo nieczęsto mi się zdarza, że kobieta mówi mi: „proszę za mną". Poprowadziła mnie do fotela dentystycznego, wskazała na drzwi w ścianie i poinformowała mnie, że zaraz zjawi się kosmetyczka. Potem zniknęła szybciej, niż się pojawiła (a jako że to zdarza mi się częściej, nie byłem zaskoczony).

Nie czekałem ani chwili, tylko uciekłem długaśnym korytarzem. Cóż, chyba ten wszechobecny w powietrzu nieokreślony zapach kwiatków czy ziół rzucił mi się na mózg, bo zamiast do baru, zmierzałem w głąb. Byłem jak ten Pigmej w NBA, nikt więcej. Zero orientacji. Znikąd ratunku. A co gorsza, gdy już dotarłem do końca korytarza i natrafiłem na drzwi, co zrobiłem? Tak jest, zamiast cofnąć ten ostatni krok i wrócić do krainy zdrowych na umyśle, otworzyłem je i moim oczom ukazał się widok, którego pamięć wymaże chyba dopiero moja śmierć.

Na wprost wejścia, osią północ-południe czy też wschód-zachód (nieważne strony świata, zresztą chodzi o orientację w przestrzeni), stał stół, coś jakby operacyjny albo raczej zabiegowy czy do masażu.

Na stole tym leżała kobieta. Co tam kobieta. Wielki babsztyl. Wielka, wielgachna, spasiona baba. Jej ciało wylewało się poza stół na boki, nie zwisając jednak zbytnio, lecz trzymając się – mniej więcej – w obrębie horyzontalnym. Widać skóra nie nadążała za postępem wzrostu objętości.

Wszystko to zdarzyło się w czasie nie dłuższym niż pięć sekund. Wszedłem, zobaczyłem, poległem. Normalnie przewróciłem się na plecy, przewracając również, jak się okazało, kolejną pielęgniarkę czy tam panią doktor, która podeszła tymczasem niepostrzeżenie od tyłu. Ale nie notowałem tego wszystkiego w świadomości, to przyszło później.

Baba na stole była pokryta błotem. Leżała bez ruchu, świecąc jednymi z niewielu miejsc nieubłoconych na swym ciele, czyli piętami, w moim kierunku. A wszystko inne, co znajduje się na osi kobiet dół-góra, znalazło się w polu mojego widzenia. Nie było nad czym deliberować, więc salwowałem się ucieczką. Szedłem korytarzem jak pijany. Takich widoków opatrzność mogła mi darować. Tu środek śledztwa, nerwy jak postronki, dłonie spotniałe, a tu półnagi, ubłocony babsztyl ze wszystkim na wierzchu. Na powietrze. Musiałem wyjść na powietrze. Potrzebowałem górskiego tlenu. Ochłonąć i popatrzeć na ośnieżone turnie. Tak. Przysiadłem sobie na ławeczce przed wejściem i zapaliłem. Było mroźno i wietrznie. Paliłem szybko, bo detektyw z gruźlicą to żaden detektyw.

I kiedy tak pospiesznie paliłem, znów przypadek sprawił, że pani Kowalska razem z koleżankami pojawiła się w polu widzenia. Poubierane w kożuszki i futrzane czapy, przystanęły w hallu, gadając o czymś z recepcjonistą. Najwyraźniej gdzieś się wybierały. Zastrzygłem uszami i zgniotłem niedopałek butem. Wyszły raźno na zewnątrz, raźno i, najwyraźniej, w nienajgorszych humorach. Jazda, Keller. Śmignij po coś cieplejszego, bo odmrozisz sobie hemoroidy, i za nimi. Wskoczyłem rączo na stopień przed szklanymi drzwiami. I stanąłem. Kurwa mać! To przecież nie mój hotel. Trzeba będzie się obejść bez odzieży polarnej. Ale takie drobne niedogodności nie mogły mi przeszkodzić w pracy.

Szły w kierunku kolejki na górę. Góra, podobnie jak stalowa nitka z podwieszonymi gondolami, nikła gdzieś tam w chmurach. Trzymałem fachowy dystans od śledzonej grupki. Wkoło zaroiło się od narciarzy.

Całe grupy ciągnęły w górę jak muchy do czegoś smrodliwego. Chyba tylko ja jeden – i cztery panie gdzieś z przodu – nie mieliśmy nart. Nic to. Byle tylko ich nie zgubić.

Panie wtryniły się gdzieś w początek gargantuicznej kolejki, zagadując, jak się zdawało, grupkę narciarzy. Podkradłem się bliżej, dyskretnie, niczym, kurde, wilk na polowaniu. Co zresztą nie było zbyt trudne w takim tłumie. Najwyraźniej dogadały się (a musiało to trwać góra pół minuty) z tymi kolesiami, trzech ich było, co do wspólnej podróży w górę. I już zaraz kupowali bilety. Nie było czasu do stracenia. „Keller, to nie uniwersytet – pomyślałem. – Tu trzeba myśleć. Wykombinuj coś błyskotliwego, bo ci umkną".

Jako że byłem trochę skacowany, nie wykombinowałem nic poza podejściem na parę kroków od kasy i zajęciem miejsca w kolejce. Potem zacząłem udawać, że stoję tu od trzech godzin.

– Panie! – Ktoś z tyłu trącił mnie w ramię. – Pan tu nie stał!

Zapaliłem jednego, ignorując fagasa.

– Hej! Mówię do ciebie!

– Słuchaj, koleś! – Odwróciłem się, zmieniając taktykę. – Ja tu nie stoję dla przyjemności, tak? To po pierwsze. Jestem w pracy, to po drugie. Gdybym mógł, to leżałbym na Barbados do góry fają, ale niestety szefostwo zamiast tego skierowało mnie tutaj! *Comprende*? A po trzecie, od kiedy, kurwa, jesteśmy na ty?

Trochę go przymurowało, tym bardziej, że sięgał mi tak do pachy. Ale zewsząd poczułem nienawistne spojrzenia. Kątem ucha uchwyciłem urywki rozmów, między innymi: „Co za cham", „Tak przy dzieciach?", „Zaraz zawołamy ochronę", „A po co ochrona, sam mu przywalę" i takie tam. Trochę zbyt stanowczy chyba byłem...

– Proszę państwa – zacząłem konspiracyjnym tonem. – Nazywam się Bachleda. Zresztą, to fałszywe nazwisko. Przysłali mnie tu z zarządu Polskich Kolei Linowych. Przeprowadzamy niespodziewane kontrole incognito wszystkich naszych kolei. To nowe wymogi bezpieczeństwa według dyrektyw Unii Europejskiej! Nowe, ostre, fajne wymogi bezpieczeństwa! – podkreśliłem, co wyraźnie zrobiło wrażenie wokół. – Mieliśmy doniesienia, że gondole nie są należycie podwieszone. I że smar na słupach jest przeterminowany. Przysłali mnie tu, żebym bez wiedzy obsługi wjechał parę razy na górę. Bez mojego akceptującego raportu zamkną tę kolejkę w cholerę...

– Przejście dla pana! – zarządził niski, a kilku innych współstaczy zaczęło torować mi drogę do kasy tak skutecznie, że nim się obejrzałem, już miałem przed oczami tabliczkę: „PRZERWA OBIADOWA 13.45–14.15".

– Jeden normalny! – Ktoś z boku wcisnął rękę z banknotem w okienko. Zaczynało mi się to podobać.

Otrzymawszy bilet, wciąż nieco oszołomiony całym zamieszaniem, udałem się dalej, a doganiały mnie okrzyki z życzeniami powodzenia, mające podtrzymać mnie na duchu, bo: „W końcu tu jeżdżą nasze dzieci". Wszedłem po schodach na platformę, skąd odjeżdżały wagoniki. Akurat, żeby dostrzec, jak pani Kowalska z koleżankami i trzema kolesiami pakują się do wagonika czy tam gondoli wielkości dwóch toi toiów. „Tu naprawdę przydałby się jakiś inspektor" – pomyślałem. Po czym, nie przejmując się już nikim – w końcu miałem bilet – podbiegłem do przodu, mijając kilkunastu narciarzy. Wskoczyłem, gładko i bez kontuzji, do kolejnego toi toia. Ruszyliśmy z kopyta. Wyjąłem aparat i sprawdziłem stan baterii. Sprawdziłem swoje tętno. Wszystko jak trzeba. Dobra nasza, Keller. Jesteś w toi toiu na linie. Chryste. Trzeba było zostać księgowym. Ale na to za późno. Masz robotę do zrobienia.

Wagonik wyskoczył chyżo, niczym koń na Wielkiej Pardubickiej, z budynku dolnej stacji i gdy tylko unieśliśmy się nieco wyżej, wiatr go porządnie rozhuśtał. Czerwone kabiny zawieszone na linie nie grubszej od – jak mi się zdawało – przeciętnej parówki, niknęły gdzieś w śnieżnej oddali grzbietu górskiego. Bujało coraz bardziej. Wisieliśmy wszyscy bez szans na szybki powrót na ziemię. Chyba że coś się urwie. Czułem się jak Richard Burton w *Tylko dla orłów*. Miałem jedynie nadzieję, że utrzymam fason jeszcze kapkę i wyrzygam się dopiero w ustronnym miejscu na szczycie. Usiadłem na ławeczce i sięgnąłem do kieszeni w nadziei na obły kształt piersiówki. Nic z tego. Jechaliśmy coraz szybciej. Takie wrażenie odbierały moje zmysły. Postanowiłem nie patrzeć wciąż w dół, a zamiast tego skupić wzrok na wagoniku, w którym jechały w górę moje cztery panie. Jeśli siedzieli tam wszyscy razem, czyli one plus trójka narciarzy, musiały się tam wyrabiać rzeczy niesłychane. Miejsca w środku było w końcu tyle, żeby zatańczyć solo nieruchawego twista.

Jechaliśmy dalej. Linia drzew chroniła nas od wiatru i bujało jakby mniej. W sumie to nie było nawet tak źle. A jak już zaczynało mi się podobać, wyjechaliśmy na górę i trzeba było ruszyć dupę. Trochę zmarzłem, bo drzwiczki były nieszczelne i wiało przez szpary. Wychynąłem na rampę, dygocąc. Wesoła, rozgadana, siedmioosobowa grupka wytoczyła się dwa wagoniki przede mną i ruszyła żwawo w stronę wyjścia. Wyglądali na porządnie rozgrzanych. Kontynuowałem śledzenie mimo uciążliwych dreszczy. Musiałem wyglądać jak w delirium. Miałem nadzieję, że od razu udadzą się do knajpy.

Ha! I co? Do człowieka czasem uśmiecha się fortuna.

Lokal był z gatunku – „jesteśmy bardziej góralscy od Giewontu razem z Kasprowym". Nawet kelnerki, poubierane w kierpce, białe bluzki i takie te gorsety, były solidne, grubonogie i szerokozadziste. Wszystko w nich przywodziło na myśl góry i doliny, szczyty i wądoły. A przynajmniej mnie przywodziło. Ale nie traciłem czasu na niepotrzebne rozważania, tylko, zlokalizowawszy wcześniej grupkę z panią Kowalską (zajęli jeden ze stolików pod oknem, w głębi sali), poszedłem prosto do baru.

– Pięćdziesiątkę poproszę. Albo nie. Herbatę zbójnicką.

Musieli widać do tego zajzajeru dodawać spirytusu, bo po trzech łykach opuściło mnie nawet wspomnienie chłodu. Wzdrygnąłem się, czując kulę ciepła w żołądku. Delikates to to nie był. Dyskretnie, jak się tylko dało, poszedłem w głąb sali i usiadłem tyłem, przy sąsiednim stoliku. Bardzo dobrze się bawili. Znakomicie. A rozmowy prowadzili przy tym wyjątkowo kretyńskie.

– No co ty? Tak bez niczego? – To jedna z pań.

– Tak jest! Zjechałem na waleta! – chwalił się jeden z panów.

– I nic sobie nie odmroziłeś? – To znowu pani. I śmiech wszystkich.

– Ab-so-lut-nie! Może co najwyżej... mały... palec! He, he, he!

– He, he, he! He, he, he!

I tak w ten deseń. Jeśli zamierzali prowadzić dalej takie dyskusje, mogłem potrzebować jeszcze niejednej herbatki.

– Chciałabym się nauczyć jeździć na nartach! – To, zdaje się, pani Kowalska. – Ach, jak chciałabym się nauczyć! Ale nigdy nie miałam okazji.

– No to teraz się nadarza! – rzucił któryś z tych pacanów.

– Tylko w ubraniu! – Znowu ona...

– Pierwszy zjazd w ubraniu! – ciągnął ten pacan. – A potem... Hi, hi, hi...

Łyknąłem potężnie. Czemu nie mogli mi się trafiać do śledzenia jacyś ludzie na poziomie? Ale przynajmniej wszystko szło w odpowiednim kierunku. „Jak tak dalej pójdzie, to dzisiaj jeszcze będziesz mógł zmyć się z tych cholernych gór – pomyślałem. – Tylko trzymaj fason, chłopie". Zamówiłem jeszcze jedną herbatkę.

Zmyłem się po tej drugiej herbacie, bo po trzeciej to już bym chyba nie ruszył żadnej z kończyn. Kombinowałem, że przecież nie zamierzali organizować orgietki tam u góry. Zjechałem gondolą i tym razem było o wiele przyjemniej. *Primo*, nie musiałem wymyślać bzdur w kolejce, bo żadnej kolejki nie było, widać byłem jednym z niewielu osobników bez nart. *Secundo*, herbatka powodowała, że przeciąg w tym cholernym, bujającym się na wietrze toi toiu był całkiem przyjemny. Nawet zdjąłem sobie kurtkę.

Teraz trzeba było tylko zaczaić się gdzieś na dole, wyczekać na odpowiedni moment i znienacka nakryć ich wszystkich z różnymi częściami ciała w innych różnych częściach ciała partnerów. Z panią Kowalską w roli pierwszoplanowej, oczywiście.

O siódmej wieczorem znów znalazłem się w spa. Udając kuracjusza, poszwędałem się po ośrodku, nie wzbudzając chyba nadmiernej czujności u obsługi. Uważałem tylko na czasopisma, które brałem do rąk.

Szybko ustaliłem, który apartament zajmowany jest przez panie. Teraz pozostało tylko czekać na drugą część przedstawienia. Nerwy miałem jak postronki. Od cebulek włosów po brud za paznokciami u nóg cały byłem napięty jak łuk, gotowy do strzału. Serce mi waliło jak oszalałe. Pomyślałem, że to przez tę ich herbatę taki jestem nerwowy, no to poszedłem do baru uspokoić się nieco. Barman chyba mnie poznał. „A kij mu w oko" – pomyślałem. Zamówiłem piwko i zająłem takie miejsce, aby móc widzieć wszystkich wchodzących do tegoż przybytku.

Byłem tak w połowie kufla, kiedy przeszło mi przez myśl, że przecież oni tam już mogą się wszyscy gzić, od kiedy zjechali z góry! Kurewski pech. O tym nie pomyślałem. Zupełnie o tym nie pomyślałem... Ale, jak to w kiepskich powieścidłach i w życiu bywa, rzeczywistość zweryfikowała wszystkie spekulacje. Kto wszedł do hallu naszego spa? Trzech narciarzy w kretyńskich jaskrawych kombinezonach! Wyglądali na nieźle napalonych. Tak jest, szykowała się grubsza akcja, a ja wraz z moim wiernym towarzyszem marki Nikon byłem na posterunku, aby zdać relację. Dopiłem żywca i z dyskrecją profesjonalisty po jednym piwie poszedłem za narciarzami. Nie ma co, szykowała się grubsza afera. Byle bym tylko panią Kowalską uchwycił w kadrze. To było moje główne zmartwienie.

Zza winkla obserwowałem, jak grupka doszła do drzwi rzeczonego apartamentu. Grzecznie zapukali, drzwi się otworzyły i po – niesłyszanych z takiej odległości – uprzejmościach wleźli do środka. Dobra. Dobra nasza. Pionki rozstawione. Gra rozpoczęta. Teraz do dzieła. No, daj im czas na zrzucenie ciuchów. Oparłem się o ścianę i chciałem zapalić jednego, ale na szczęście w porę zauważyłem czujniki dymu na suficie. Papierosa trzeba było odłożyć na nieokreślone później. A to nie pomagało na nerwy.

Odczekałem piętnaście minut i stwierdziłem, że czas ruszać do akcji. Wóz albo przewóz. Nie ma co tak sterczeć jak idiota. Błyskawicznie znalazłem się pod drzwiami. Rzut oka w jedną i drugą stronę – nikogo w okolicy. Dobra. Z drugiej strony nie dobiegały żadne odgłosy. Ale gorsze było to, że nie było klamki. Mieli tam zamki na karty zamiast na klucze. Wyważyć? Chryste, to nie pożar, tylko próba przyłapania kopulującej pary! Rozwiązania siłowe nie wchodziły w grę. Cóż, dla profesjonalisty otworzyć takie drzwi, to jak trafić siknięciem w ziemię. Popracowałem trochę scyzorykiem i kartą na pływalnię (wreszcie się do czegoś przydała) i już byłem w przedpokoju. Było ciemno. Wszystkie wejścia pozamykane. Nadstawiłem ucha. Coś jakby przytłumiona rozmowa? Śmiech? A może to mnie w głowie się kołatało z tych nerwów. „Keller, cipo niezdecydowana, to oni mają się denerwować" – zganiłem się. No to jazda. Z aparatem gotowym do akcji i drogą ucieczki przed oczami, bezszelestnie (przynajmniej w założeniu) otworzyłem środkowe drzwi.

To był salon. Wielki salon. Z gatunku takich, których człowiek nigdy się nie dorobi. Wielkie okno z widokiem na góry, na stoliku jakieś pootwierane flaszki, żarcie. I nikogo. Ale były jedne, drugie drzwi. Czułem, kurna, czułem, że coś się wyrabia. Tak jest. Trzeba to zrobić z głową. Fachowo. Wyliczanka wskazała na lewo. Tylko spokojnie. Tylko spokojnie.

Stąpałem cichutko jak myszka. Dywan gruby na dobre trzy cale też robił swoje. I tylko trzy głębsze oddechy – raz, dwa, trzy – i cichutko uchyliłem drzwi. I potem skok na podłogę, niczym pieprzony tygrys! Dywan tłumił wszelkie odgłosy. Ręka z aparatem w górę, palec na spuście, a nerwy skąpane w adrenalinie. Zanim zdążyłem sprawdzić, co jest w obiektywie, chciałem strzelić fotkę, ale zapomniałem włączyć aparat. Naprawiłem błąd, ale wcześniej wychynąłem ponad krawędź pościeli. A tam, na łóżku ustawionym centralnie naprzeciw wejścia, koleś posuwał panienkę. Tak jest! Mam panią, pani Kowalska! Blada męska dupa rytmicznie poruszała się tam i z powrotem. Taki widok do przyjemnych nie należy, ale w końcu nie od parady na drzwiach mojego biura stało jak byk: „PRYWATNY DETEKTYW". Takie zlecenie to dla mnie w końcu tyle, co dla sprzątaczki kolejny rozdeptany pet na podłodze. Cóż, baraszkująca para widać nie zauważyła mojej obecności. Rżnęli się na całego. Musiałem zmienić kąt, bo gdybym zrobił kilka ujęć tego bladego dupska, to chybaby pękł obiektyw. Padłem z powrotem na ziemię i przeczołgałem się na lewą stronę łóżka. Jak, kurde, w wojsku. Tylko zamiast kaprala Kądziołko drącego mi się nad głową, narciarz dymał na całego kobitę, która mogłaby być jego mamusią. Wczołgałem się, na ile się dało, za przeszkodę terenową w postaci stolika nocnego, a potem – hyc! Znowuż wychynąłem jednym okiem ponad poziom materaca, mniej więcej na wprost głowy pani Kowalskiej. Pani... tyle, że to nie była ona... a już miałem robić zdjęcie.

To była ta blondyna podobna do mojej ciotki. Koleś ujeżdżał ją na całego! Zupełnie nie zwrócili na mnie uwagi. Jedno i drugie sapało i jęczało, jęczało i sapało, a wyrko dołączało do tego dwugłosu.

Wtedy dotarło do mnie wyraźnie, jakie gówniane zajęcie sobie wybrałem. Podglądasz pieprzących się ludzi, Keller. Tyle zostało z bzdur o kasie, fajerwerkach, dupencjach, litrach najlepszego winka i homarach na drugie śniadanie. Kapral Kądziołko miał rację. Wyżej czyszczenia latryn do emerytury nie awansujesz, Keller. To jednak łebski był facet. Ale na rozpoczęcie studiów z historii sztuki nie było już czasu, szans, ikry i energii. Trzeba ciągnąć raz włożone chomąto. Przytulony do dywanu cicho wycofałem się do salonu. A za mną akcja rozwijała się ku szczęśliwemu zakończeniu.

Do dwóch razy sztuka. Teraz wybrałem drzwi po drugiej stronie salonu, w głębi. Z braku lepszej koncepcji zamierzałem zastosować podobną taktykę. Podszedłem bezszelestnie i już, już chwytałem klamkę, wewnętrznie cały napięty, w środku i na zewnątrz, jak struna, gotów do akcji, gotów do... I JAK MI DRZWI NIE PRZYWALĄ PROSTO W RYJ! Odleciałem jak wyrzucony z procy, podłoga uciekła w przód, sufit zwinął się w kłębek gdzieś w kącie. Pion zachwiał się w posadach i rymnął mi na łeb, ostatnia dekada przeleciała mi przed oczami, a wszystko to przez chwilę nie dłuższą niż machnięcie skrzydeł komara. Uderzyłem potylicą w podłogę, choć tego nie poczułem – przez szok i przez ten dywan niczym puchowa pierzyna (dzięki niebiosom za dekoratorów wszystkich spa od Bałtyku po Tatry). Ten ostatni pewnie uratował mnie, no może nie od śmierci, ale od spędzenia reszty życia na sączeniu jogurtów przez słomkę. Ale takie myśli przyszły później, bo gdy tylko znalazłem się na podłodze, wylądował na mnie facet. Goły jak go Pan Bóg stworzył, wypadł przez owe drzwi, które nieomal pozbawiły wiele pięknych kobiet wartościowego potomstwa. No, powiedzmy... Zaczynałem się zbierać nieporadnie, niczym żółw przewrócony na grzbiet skorupy, kiedy zwalił się na mnie (wszystko to razem było jak błysk, pstryknięcie palcami, łyk piwa, mimo że wydawało mi się potem, że grałem w zwolnionym filmie i mogłem śledzić wszystko klatka po klatce) ten facet. Upadając, uderzył głową w mój nos, poprawiając wcześniejszy efekt. Zamroczyło mnie. Ogarnęła mnie – jak by to może napisał Chandler, choć pewnie powstrzymałby się od takich tanich chwytów – ciemność.

Zamroczyło mnie na dobre.

Pierwsze, co zanotowałem w świadomości, to cyc. Spory i jędrny. Bardzo mi się spodobał. A zaraz obok niego drugi. Był taki podobny, że spodobał mi się nie mniej. Zawirowało mi w głowie, mocno i trochę tak, jakbym patrzył w dół z wieży Eiffla. Zamknąłem oczy i poczekałem, aż świat się uspokoi. Odliczyłem do dziesięciu i otworzyłem oczy. Cyce wisiały dalej. Ale teraz były wyraźniejsze – co samo w sobie było zachwycające – ale wyraźniejsze było też wszystko wokół. Nad cycami wisiała twarz pani Kowalskiej. „Cycki – pani Kowalska – goły koleżka" – przeleciało mi przez powracający do użyteczności mózg i zacząłem macać wokół w poszukiwaniu aparatu. Macałem i macałem, aż w końcu trafiłem na coś i wtedy po raz trzeci dostałem w twarz.

– Gdzie mnie tu...! – wydarła się na mnie pani Kowalska.

Uniosłem się na rękach i usiadłem, oparty o stół. Czułem krew w ustach i ciepłą wilgoć na koszuli. Miałem rozwalony nos i wargi, krew kapała na koszulę, kurtkę, spodnie i dywan. Z tego zestawu najdroższy był dywan. „A kij z nim" – pomyślałem, podnosząc dłoń do twarzy. Było to takie dziwne uczucie, jakby dotykać swojej skóry przez kartkę. Dotknąłem się jeszcze raz i znowu nic nie poczułem, oprócz lepkiej i ciepłej krwi. Nie było co siedzieć na podłodze, no to usiadłem na stole. Obok stała butelka VAT 69, otwarta i napoczęta tak do trzech czwartych. Zaszkodzić mi już mogło niewiele, no to wziąłem kilka porządnych łyków. Zapiekło. Ale zrobiło mi się lepiej. Dobra szkocka pomaga na wszelkie niedomagania.

– Hej, koleś! – zawołał golas. Znaczy, męski golas, bo pani Kowalska też stała, jak ją pan Bóg stworzył. Jak również ci z pierwszej sypialni, którzy w międzyczasie pojawili się w salonie. W ogóle to byłem jedynym w gatkach, skarpetkach, koszulce i tak dalej. Nikt inny nie był ubrany. – Koleś! Co to ma znaczyć? – golas dalej wołał.

– Daj mi chwilę, człowieku... i daj mi chusteczkę czy coś... przecież, do kurwy nędzy, krwawię!

Chusteczka, a nawet cała paczka, pojawiła się w trymiga. Wytarłem, co się dało, zatamowałem krwotok i łyknąłem jeszcze. Właściwie to czułem się całkiem nieźle.

– Kim pan jest? Co pan tu robi? Co to ma znaczyć? No, odpowiadaj pan! – teraz zaczęła się niecierpliwić ta przypominająca moją ciocię. – No, słuchamy!

Pomyślałem, że zanim coś palnę, trzeba zebrać myśli. Stary dobry VAT 69 mógł mi w tym pomóc...

– Panie, zostaw pan tę flaszkę! I lepiej zacznij pan gadać! – uprzejmie poprosiła pani Kowalska. – Zaraz zadzwonimy... – nie zdążyła sprecyzować, dokąd zadzwonią, bo do pokoju wparowała nieobecna dotąd grupka złożona z ostatniego narciarza oraz dwóch pozostałych pań. Byli w zdekompletowanych nieco strojach, widać pospiesznie się ubierali.

– Co to? Kto to? – rzucił narciarz bez lewej skarpetki i w podkoszulku na lewą stronę. Panie nic nie mówiły. Cóż, należało chyba coś zrobić, bo nie sposób było prowadzić rozmowy na poziomie w tym towarzystwie.

– Hej, on ma aparat! – Widać przy upadku musiał mi wypaść, bo leżał teraz na dywanie. Błyskawicznie, zanim ktokolwiek inny mnie uprzedził, zerwałem się z miejsca i rzuciłem szczupakiem, chwytając go.

– To jakiś wariat... zadzwońcie na policję! – krzyknęła pani Kowalska.

– To ja jestem policja! – odparłem, a skoro miałem już aparat, równie błyskawicznie wróciłem do stolika, żeby wszystkich ich mieć na oku. Jak i flaszkę. – Wpadliście jak śliwka w gówno!

Nie wiem, czy to wzmianka o policji tak podziałała, ale wszystkie osoby bez ubioru zdały sobie najwyraźniej wtedy sprawę, że stoją, jak ich Pan Bóg stworzył. Spojrzeli po sobie. Nie było na co czekać. Łyknąłem jeszcze dla pewności ręki i błyskawicznie zrobiłem serię zdjęć, skacząc po pokoju raz na lewo, raz na prawo, do tyłu, przykucając, starając się, aby nic z zastałej sceny mi nie umknęło. Nawet wskoczyłem na stół i spróbowałem strzelić panoramę. Przez cały ten czas (a uwijałem się jak w ukropie) nikt poza mną się nie poruszył. Znowu stali jak skamieniali i dawali się fotografować. Widać tego się nie spodziewali. Myśleli, że już leżę na obie łopatki. Że wywijam białą flagą. Ha! Pani Kowalska, mam pani tyłek na karcie pamięci!

– To jakiś wariat – powtórzyła.

– Zaraz, czekaj… to przecież ten pedzio z baru! – stwierdziła jedna z tych niekompletnie ubranych, blondynka. – Tak jest, to ten sam!

– To nie było moje czasopismo, droga pani – powiedziałem, bo pewne rzeczy trzeba wyjaśniać czym prędzej. – I wypraszam sobie takie epitety.

– To wariat! – pani Kowalskiej widać skończyły się inne kwestie.

Przysiadłem na krawędzi stolika, bo zakręciło mi się w głowie od tych emocji, a i pewnie uraz twarzoczaszki dawał o sobie znać. VAT 69 po raz kolejny przyszedł mi z pomocą. Wtedy dopiero zaczęli się ruszać – jedno po drugim – znikali gdzieś, by za chwilę pokazać się ponownie, tym razem wszyscy już odziani i obuci. Ale aparat spoczywał bezpieczny w mojej kieszeni.

– Dobra, koleś! – powiedział pierwszy z nich, ten,

który posuwał panią Kowalską, taki rudawy trochę. Brwi miał za to krzaczaste, czarne. Coś sobie chyba musiał farbować. Na to wyglądało. – Dobra! Dawaj aparat!

Stali we dwóch między mną a wejściem, trzeci tymczasem zaczął obchodzić mnie z drugiej strony, za sofą. Ubrani, najwyraźniej zyskali na animuszu.

– Tak jest! Weź mu go, Marek! – powiedziała ta, która w barze śmiała się najgłośniej. – I w mordę mu dajcie!

– Marcin... mam na imię Marcin – odparł Marcin, a w jego głosie rozbrzmiewał wyrzut. Był wyraźnie zawiedziony.

– Tak, tak... Marcin, jasne. Weź mu ten cholerny aparat, to potem ładnie cię przeproszę!

Obietnica kolejnych uniesień wystarczyła, żeby Marcin znów wcielił się w rolę wojownika. Nie bardzo mu było z tym do twarzy, ale widać sperma rzuciła mu się na mózg. Bywa.

– Słuchaj, koleś, lepiej oddaj nam ten aparat po dobroci. Nas jest trzech, a ty jeden! – błyskotliwie zauważył kolega Marcina, stojący w głębi pokoju. Do tej pory się nie odzywał. Z nim też było coś nie tak, miał jakby jedną rękę krótszą. Jakaś taka niesymetryczna ta dzisiejsza młodzież. – Nie wyjdziesz stąd... nie wyjdziesz stąd, dopóki nam go nie oddasz!

– Taa?

– Nie wyjdziesz... więc daj go lepiej po dobroci!

– Taa? A ja myślę, że wyjdę bez najmniejszego problemu. Bez najdrobniejszego problemu, chłopcy. Większy problem bym miał ze wskazaniem, która z zebranych tu pań ma większą dupę!

W tym samym momencie Marcin był już na tyle blisko i poczuł się na tyle bohatersko, że jedną ręką mnie chwycił, a drugą się zamachnął. Zanim zdążył zrobić cokolwiek więcej, przywaliłem mu w czubek głowy butelką VAT 69. Zaczął wrzeszczeć i wylądował na sofie, po szyję skąpany w tym szlachetnym trunku. Serce się ściskało, gdy człowiek widział takie marnotrawstwo. Szkło rozprysło się wokół, ale chyba go nie skaleczyłem. A nawet jeśli, to był odkażony. Wash and go. Pani Kowalska krzyknęła cicho, nieco głośniej krzyczały trzy pozostałe panie.

– AUA! – darł się Marcin.

– No co tak stoicie? BRAĆ GO! – wrzasnęła dotychczas milcząca brunetka zza pleców rudo-czarnego i niesymetrycznego.

Nie powiem, żeby była to szarża kawaleryjska. Raczej pół kroku do przodu, ćwierć do tyłu, i to tak, aby nie wyprzedzić sąsiada. Stojąca za nimi kobieta cały czas donośnie domagała się bardziej intensywnych starań w celu pozbawienia mnie zarówno aparatu, jak i zdrowia. Zaczynało mnie to wszystko nudzić. Szkoda mi było pozostałych butelek, no to postąpiłem ku napastnikom z pustymi rękami. Byliby się cofnęli, ale pani zza ich pleców skutecznie uniemożliwiała im podanie tyłów. Bywa. Wszyscy byliśmy udupieni. Aby wyjść z tego pokoju, trzeba było przestąpić nad stygnącym trupem wroga. No to zaczęliśmy się naparzać.

Jeden i drugi był z gatunku tych bokserów, którzy za

wszelką cenę starają się nie trafić swojego przeciwnika, gdyż ten mógłby mu oddać. Wiecie, nie jestem najlepszym technikiem. Praca nóg jest mi obca. Gdybym lepiej się starał zaprzyjaźnić z którąś z koleżanek z późnej podstawówki, zamiast potajemnie walić konia, to pewnie mógłbym zostać ojcem tych dwóch. Nic mi się nie chciało, a już bić – to najmniej. A i tak wyglądałem przy nich, jakbym przez ostatnie pół roku sparował zamiast popijać. Tego z rękami trafiłem w szczękę hakiem tak, że poleciał do tyłu na kobitę, która nie ustawała w dopingu. Pasowała im ta pozycja horyzontalna.

Wtedy drugi wpadł ni to w szał, ni to w trans. Zaczął wydawać piszczące odgłosy, wymachiwać rękami zupełnie na oślep i podskakiwać. Wykonywał przy tym kopnięcia, godne dziewięćdziesięcioletniego posiadacza żółtego pasa w karate. Nie bardzo wiedziałem, śmiać się czy co, więc stałem cicho ze dwa kroki dalej (tymi wszystkimi półobrotami i podskokami popisywał się tak jakoś w miejscu, sam w swoim świecie). Dwie panie za mną i trzecia obok sofy wpatrywały się w niego z zainteresowaniem. Nawet Marcin przestał się mazgaić i podziwiał kolegę, chlipiąc pod nosem.

Rudy z czarnymi brwiami (bo to on wcielił się w Chucka Norrisa na LSD) przechodził właśnie do bardziej skomplikowanych form, podkreślając występ chichotem wprost z wariatkowa. Nagle stracił równowagę, potykając się o jedną ze swoich nóg, i runął na telewizor stojący na szafce przy ścianie. Spory telewizor z tych nowych, płaskich. No, po chwili już nie był taki nowy. Ani taki płaski. Za to szafka, i owszem. Padł na to wszystko całym ciężarem i wszystko – mebel, sprzęt, milknący chichot i kruczoczarne brwi szaleńca – zapadło się w sobie, z hukiem i w trzasku pękających elementów. Mimo utrzymywanej – jak mniemam – sterylnej czystości w takim miejscu, przysięgam, w powietrze pokoju wzniósł się obłok kurzu. „Może to w ten sposób rozpiżają się ciekłe kryształy – pomyślałem – jak chmura radioaktywna".

Nikt się nie ruszał. Poza chmurą, nikt się nie ruszał. Pożałowałem flaszki VAT-u. Ale na szczęście znalazło się coś innego, tym razem Beefeater. Przepłukałem gardło cierpką jałowcówką. Marcin popatrzył na mnie błagalnie, więc wręczyłem mu butelkę. Poszedł w moje ślady.

– Co do...? – powiedziała pani Kowalska.

– Nie wiem jak panie, ale ja bym się napił. W bardziej odpowiednim miejscu. Tam możemy kontynuować rozmowę.

Żadna nie wniosła sprzeciwu, więc opuściłem apartament, przepuszczając je przodem, i udaliśmy się do baru.

Bar nie zmienił się od mojej ostatniej wizyty. Oprócz tego, że zamiast barmana krzątała się jakaś miła pani w śnieżnobiałej bluzce. Ładna kobieta za barem – to równoważyło w moich oczach problem przestępczości zorganizowanej. Albo nawet bezrobocia. Zamówiliśmy drinki (miałem szczerą nadzieję nie uiszczać rachunku na koniec) i usiedliśmy przy jednym ze stolików.

– Dobra, kolego – zaczęła blondyna z największym cycem. – Gadaj wszystko, co i jak. Nie myśl, że ci się upiekło, bo tu siedzimy i sobie popijamy!

– To może się przedstawmy, drogie panie. Łatwiej będzie rozmawiać. Nazywam się Miller. Tomasz Miller.

– Bardzo ładnie. Ale przestań pieprzyć i … – ciągnęła blondyna. Nie grzeszyła taktem, a i z oczu patrzyło jej tak jakoś diabelsko.

– Czekaj, Kasiu, ma rację – przerwała jej Kowalska. – To, jak już powiedziałam, Katarzyna. To – wskazała na ciociopodobną – Agnieszka, ta miła pani, to Anna, a ja – Nina. A skoro już się znamy, to gadaj, fagasie, co jest grane!

– No tak. Miło mi. To może przejdziemy na ty?

– Przestań pierdolić, tylko gadaj! Coś robił z tym aparatem? Po co te zdjęcia?

– No jazda! – ponagliła Kowalska.

Nie wiedziałem, co powiedzieć. Czy w ogóle coś powiedzieć? Popiłem wódki z tonikiem. I nic. Popiłem jeszcze raz.

– Dobra, kutasie jeden! Aga, dzwoń na policję! – powiedziała Anna. Nie taka miła, jak się okazało.

– Okej, w porządku, w porządku. Dajcie mi dojść do siebie… Takie cztery piękne panie przy jednym stoliku ze mną, może człowiekowi zabraknąć języka w gębie…

– Dzwoń, bo nie można go słuchać!

– Dobrze jest, mówię przecież! Spokojnie, tylko bez nerwów, moje panie. – W drinku zacząłem widzieć dno. Ale nieco się rozluźniłem. – Więc tak, faktycznie zakradłem się do waszego apartamentu z aparatem i w ogóle... Widzą panie, zostałem wynajęty, abym to zrobił.

– Przez kogo? – spytała Katarzyna. W oczach miała już prawdziwe gromy.

– Do tego dojdę. Otóż... Tak... Sytuacja niezręczna, przyznaję... Ale cóż zrobić, taki los prywatnego detektywa... Ale to jeszcze nic... Widzą panie, któregoś razu w dwa tysiące piątym bodaj, a była jesień, przebywałem akurat w Mysłowicach, tak, widzę to, jakby się zdarzyło wczoraj...

– Prywatnym... CO TY PIEPRZYSZ! – przerwała mi brutalnie ta, która miała dzwonić na policję. Siedzący przy sąsiednich stolikach zaczęli rzucać nam ciekawe spojrzenia. – Przecież jego się nie da słuchać! To jakiś pomyleniec...

– Czekaj, czekaj, kochana – przerwała jej Kowalska. – Że jak? Prywatny detektyw?

– No tak. Nie da się ukryć. Jak już wspominałem, w tych Mysłowicach...

– Człowieku, zostaw te Myślenice!

– Dzwonię... – powiedziała ciocia Agnieszka, faktycznie dobywając z czeluści torby (bo torebka nie była to żadną miarą) telefon.

Nie miałem czasu na wspominanie starych dziejów. Nigdy nie byłem w krynickim areszcie, ale nie mógł się on jaskrawo odróżniać od przybytków na Montelupich bądź Mogilskiej w mieście Kraka. Jednym haustem dopiłem drinka.

– Dobrze jest, moje panie. Chcecie usłyszeć, co jest grane? No to przedmuchajcie sobie te wasze śliczne uszka.

– Że co? – Telefon zawisł w pół drogi.

– Że co? Że, tak doradzę, najpierw lewe, potem prawe. Można też w odwrotnej kolejności. *Wsio rawno*.

Albo je zatkało, albo nie rozumiały po rosyjsku.

– A tak – ciągnąłem. – Przejrzałem was na wylot. Wystarczyło mi dziesięć minut w tym fikuśnym apartamencie i nawet nie musiałem się zbytnio wysilać. Przejrzałem wasze zamiary na wylot, tak jak tę szklankę tu przede mną! À propos... – kiwnąłem na kelnerkę w drugim kącie sali, ale najwyraźniej miała inne zajęcia, bo mnie olała. – Tak jest! – ciągnąłem niewzruszenie. Cóż, jak brnąć, to do końca. – Zanim przyłożyłem temu pierwszemu narciarzowi, już miałem was jak na patelni! Żeby tak perfidnie wykorzystać Bogu ducha winnych młodzieńców... Wstydziłyby się panie. To zresztą nie tylko perfidne. To też karalne. Tak mi się wydaje. Ale to sprawdzimy. Tak więc śmiało, dalej, pani dzwoni. No dalej! A jak będziemy czekać na patrol, zamówię sobie jeszcze jednego drinka.

– O czym pan mówi? – wystękała Kowalska.

– Teraz to pan, co? Otóż mówię o celowym rozprzestrzenianiu zarazków. O epidemii! O zagrożeniu epidemiologicznym! Rozgryzłem wasze niecne zamiary, drogie panie.

– Zarazki? Epidemia? Chyba kretynizmu, człowieku...

– Tak jest! Ci biedni gówniarze mieli wam służyć za środek przenoszący syfa! Żebyście mogły pozarażać waszych nieświadomych mężów. Od ciebie – tu wskazałem na Kowalską. Jako że mówiłem z pozycji oskarżyciela, przeszedłem na ty – i dalej, po kolei. Trudno przyznać się do winy, prawda? Ale wszystko mam na zdjęciach.

Przez chwilę panowała cisza, którą wykorzystałem na przywołanie kelnerki do stolika. Zamówiłem podwójną whisky z wodą. Trzeba było uczcić niespodziewanie rozwikłaną sprawę. Zanim jednak dostałem drinka, cztery babsztyle zbliżyły swoje oblicza do mojego. Nienawiść tryskała zewsząd, jak z porządnego, islandzkiego gejzeru.

– Słuchaj no, ty… jak ci tam? – zaczęła Kasia (skoro byliśmy na ty), ta z cycami.

– O czym on gada?

– Słuchaj no, ty. Nie wiem, co ty nam tu pierdolisz, nie wiem i nie chcę wiedzieć…

– Mówię o syfie. Kiła, rzeżączka. Syfilis. A może i chlamydia.

– NIE WIEM, CO TY NAM TU PIERDOLISZ, ALE PRZESTAŃ! – wydarła się i to tak, że usłyszeli ją nie tylko goście baru, ale pewnie i amatorzy białego szaleństwa na okolicznych stokach.

Wokół wszystkie rozmowy ucichły. Nawet telewizor rozbrzmiewający dotychczas nastrojową muzyczką gdzieś nad barem przycichł o kilka tonów. Najwyraźniej barmanka również była zainteresowana rozwojem wypadków wśród naszej wesołej gromadki.

– A po co niby miałybyśmy się tym syfem zarażać? – spytała niemal szeptem Agnieszka. Choć w panującej ciszy szept był niczym dzwon w kościele.

– Po co? To chyba oczywiste? Żeby pozarażać waszych mężulków! Żeby ich ukarać za wyimaginowane przewinienia. Tak jest! Bo pewnie albo jeden z drugim popełnił straszliwą zbrodnię i przestał się starać w sypialni, bo haruje po dwanaście godzin dziennie i po robocie marzy tylko o otwarciu browara, albo pod choinkę kupił nie tę perfumę, co trzeba. Albo nie zauważył nowej fryzury. Albo kupił samochód nie takiego odcienia bordo, jak trzeba. Albo skorzystał z okazji na delegacji i przeleciał jakąś panienkę, której główną zaletą było nikłe podobieństwo do żony. Albo coś innego, zasługującego na karę cierpień przez zarażenie syfem. Zresztą, co mnie to. Powodów nie dociekam.

Siedziały jak wryte i najwyraźniej nie wiedziały, jak zareagować. Cóż. Ciężar mojej argumentacji przygniótł je jak słoń, który usiadł na stado świnek morskich. Bez szans. Bez najmniejszych szans. Powiedziałem, co miałem do powiedzenia, więc też siedziałem cicho. I pewnie trwalibyśmy tak Bóg wie, ile, w ciszy, przy tym stoliku w barze hotelu i spa w Krynicy, kiedy w hallu ukazała się zupełnie niemalownicza trójka narciarzy, niedoszłych – a może i doszłych – nosicieli chlamydii i innych drobnoustrojów. Zobaczyli mnie z paniami i ruszyli niemrawo w naszą stronę.

„Trzeba się zbierać" – pomyślałem. Stanąłem obok stolika i dopiłem drinka. Akurat, aby znów stanąć oko w oko z rzeczoną trójką. Kwitnąco nie wyglądali.

– Napijecie się czegoś, chłopaki? Panie stawiają.

Najwyraźniej nie mogli się zdecydować, co zrobić. Cóż, w obecności czterech kobiet rozłożył ich jeden niezbyt świeży i niezbyt bitny koleś. Bywa. Można nabawić się kompleksów. Kiedy, odstawiwszy szklankę, podniosłem dłoń do twarzy, aby potrzeć nos, Marcin i ten drugi, rudy, odskoczyli na pół kroku. Poczułem się jak Tommy Lee Jones, bez jaj. Znaczy, bez jaj, poczułem się jak Tommy.

– Panie pozwolą, że się oddalę. Panowie...

Rozstąpili się, nikt nic nie mówił. Widać nie było nic do dodania. Nie goniły mnie przekleństwa, nie leciały za mną kufle, jedne i drugie mierzone w moją głowę. Żegnała mnie cisza. Pewnie nie widzieli nic podobnego w historii tego spa.

„Może dodadzą moje zdjęcie na ścianie z prominentami, którzy naciągali tu swoje tyłki – pomyślałem. – Wśród prezydentów i prezesów".

Na zewnątrz było jeszcze zimniej niż poprzednio. Zimno, ciemno i cicho.

„Coś jak śmierć" – pomyślałem. Szedłem w dół zaśnieżonym poboczem szosy i z każdym krokiem trzeszczało pod podeszwami. „Cóż to za porypana sprawa" – pomyślałem. Nie wiedziałem, czy ten finał można było nazwać rozwiązaniem, ale przynajmniej nie musiałem już tam wracać. Świat jednak pełen jest popaprańców. Co drugi, gdzie tam co drugi, mało który człowiek mijany co dzień na ulicy nie ma hyzia. A ja w tym bagnie, jak małpa w cyrku.

Gorzkie to były myśli wtedy, w Krynicy, w tamten gówniany wieczór, ale szedłem do wynajętego pokoju, a po drodze była niejedna knajpa, w której mogłem utopić wszystkie smutki tego świata. Kierunek znałem bez pudła.

Na biurku leżały porozkładane zdjęcia. Deszcz uderzał o szyby i mimo że nie było jeszcze drugiej, na zewnątrz panował przedwieczorny półmrok. Kowalski z czerwonymi uszami oglądał w milczeniu figle małżonki z koleżankami i kolegami i słuchał mojej relacji. Szklanka z wodą stała przed nim nietknięta. Może trzeba było nalać czegoś innego?

– No i tak to wyglądało, widzi pan sam.

– Ale żeby tak... specjalnie? Żeby tak z premedytacją?

– Kobiety są zdolne do największych świństw, panie Kowalski. My co najwyżej wywołamy wojnę, ale prawdziwie wredne potrafią być tylko babki, które mają powód do zemsty.

– No, bez przesady... – Przetarł chusteczką czoło i kark. – Widzi pan, panie Keller... dobrze się pan spisał, te zdjęcia i w ogóle... faktycznie mnie zdradza... no cóż...

– Niech się pan nie przejmuje. To nic takiego. Każdego z nas w swoim czasie jakaś zdradzała. – Próbowałem go pocieszyć jak jakiś kretyn. – Grunt, że teraz leczą syfa bez problemu. Kiedyś to miałby pan przesrane.

– A no tak. Syfa. Widzi pan, panie Keller, otóż okazało się od naszego ostatniego spotkania, że, jakby to powiedzieć... no, może to jednak nie od małżonki złapałem.

Nie wierzyłem własnym uszom.

– Nie rozumiem. Jak to OKAZAŁO SIĘ?

– No widzi pan... Nie tyle co okazało się, ile przypomniałem sobie... Człowiek jest słaby... Zdarzyła mi się chwila zapomnienia... No i wczoraj wyszło na jaw, że to od niej mam...

– Od niej?

– Moja sekretarka, widzi pan...

– No żesz kurwa...

– Wiem, że może pan być zły, ale zapłacę podwójnie.

– Panie Kowalski, dawno nie spotkałem tak przygnębiającego osobnika jak pan. Ja jadę do cholernej Krynicy, tam mają środek zimy, więc ryzykuję odmrożenia tyłka trzeciego stopnia, ceny są z sufitu, więc ryzykuję utratę płynności, bo te pańskie pięć stów to na napiwki ledwo starczyło, nakrywam pańską żonę z koleżankami, jak baraszkują z grupką wysportowanych młodych byczków, ryzykuję więc złamaniem szczęki i innych kości, z narażeniem zdrowia robię zdjęcia i szczęśliwie udaje mi się umknąć. A pan mówi mi, że to była pomyłka, że wydymał pan panią Basię, która wcześniej wyniosła coś swędzącego z wyrka kolesia, co go pewnie poznała trzy minuty przed wskoczeniem pod kołdrę. – Straciłem od tej przemowy oddech, więc wciągnąłem głęboko powietrze. – Osłabia mnie pan, panie Kowalski. Osłabia mnie pan.

Kowalski nic nie mówił, tylko wypił wodę duszkiem i patrzył na mnie kaprawymi oczkami.

– Dobra, panie Keller. To wszystko teraz nieważne. Ile się należy za poniesione koszty i ile za zdjęcia?

– Drugie pięć stów za koszty, pan wybaczy, ale nie brałem paragonów. Za zdjęcia nic.

– Nic?

– Nie są na sprzedaż – stwierdziłem i zanim zdążył zareagować, zgarnąłem wszystkie do szuflady w biurku. Zamurowało go. Najwyraźniej tego się nie spodziewał.

– Co pan? Jak to? Przecież pana wynająłem, tak? Płacę, to wymagam? Więc proszę, co tam proszę, ŻĄDAM TYCH ZDJĘĆ!

– Żądać to se pan możesz maści na krosty od pani Basi.

– Panie... Ja... Pan nie wiesz, z kim zadzierasz... Ja... Skoro tak, to żadnych więcej pieniędzy...

– Nudzi mnie pan, panie Kowalski. Żegnam.

– Ja... Ja...

– Ale jaja, nie? Tam są drzwi, panie Kowalski. Niestety nie mam takich doświadczeń jak pan, więc nie potrafię panu wskazać żadnego dobrego specjalisty wenerologa. Musi się pan poradzić sekretarki.

Siedział jeszcze bez słowa z pół minuty, po czym wstał i ruszył ku drzwiom. Chwycił za klamkę i odwrócił się, otwarłszy usta, jakby chciał coś dodać. Zastygł z tym idiotycznym wyrazem twarzy, a ja, żeby podkreślić brak zainteresowania, wyłożyłem nogi na stół i wczytałem się w ostatni numer „Polityki". Zawsze trzymam kilka poważnych gazet na biurku, żeby robiły dobre wrażenie. Kowalski stał chwilę, po czym otworzył drzwi i zniknął, trzaskając nimi tak mocno, że gazeta prawie wypadła mi z rąk. Cóż za żałosna kreatura. Nalałem sobie wody, zapaliłem i wsłuchałem się w dudniący o szyby deszcz.

Siedziałem bezczynnie z kwadrans, po czym wziąłem słuchawkę i wykręciłem numer do pani Kowalskiej.

– Słucham.

– Dzień dobry, pani Kowalska. Mówi Miller, poznaliśmy się w Krynicy.

Następnie musiałem odsunąć nieco słuchawkę od ucha, gdyż jestem wrażliwy na inwektywy rzucane w moją stronę. Kiedy się trochę uspokoiła (albo brakło jej tchu), kontunuowałem:

– Proszę się nie gorączkować. Dzwonię w pokojowych zamiarach.

– Jak pan śmie w ogóle dzwonić? A może chodzi o szantaż, mam rację? Tak? Ile pan chce za te fotki?

– Za kogo pani mnie ma?

– Za nędznego...

– Nie było pytania. A te zdjęcia to może sobie pani odebrać, po co mi one.

– Słucham?

– A tak. Był tu u mnie ten pani mężulek. Przyjemniaczek z niego, że nie ma co. Nie wdając się w szczegóły, radziłbym popytać go o panią Basię. No i jeszcze wizyta u doktora. Tak, lekarz w pierwszej kolejności...

– Że jak? Lekarz?

– No taa. Widzi pani, te moje podejrzenia o syfie i tych innych, no, można powiedzieć, że trafiłem jednostkę chorobową, ale niezupełnie nosiciela. Że tak powiem. Ale wszystko zostaje w rodzinie. Że tak powiem.

Cisza.

– Halo? Jest pani tam? Wezwać karetkę?

– Nie, nie... Ja tylko... Myślałam, że... Co to za... Basia? Jaka Basia?

– A co to za różnica? Bo to jedna Basia ma wiele do dania?

– Ja go... Przecież jak... Aha, a zdjęcia? Zdjęcia? Przecież ja tam w hotelu... A co mój mąż na to wszystko?

– Szczęśliwy to nie był. Szczególnie, kiedy kazałem mu spadać.

– Tak? No to... Chyba powinnam panu podziękować.

– Nie ma za co. Dobra. Muszę kończyć. Wzywają mnie do kolejnego morderstwa.

– Mor...

– Strasznie się pani zacina. Nie wiem, to może już jakiś objaw. Proszę czym prędzej iść do tego lekarza. Jak wszystko pójdzie dobrze, to może przed sylwestrem wyskoczymy na narty, hę? Halo? Halo? Jest pani tam?

Ludzie w ogóle nie znają się na żartach. Wpadłem w przygnębienie. To nie była najlepsza rozmowa. Ale przynajmniej miałem ich z głowy.

Deszcz padał.

Nic się nie działo.

W końcu.

Minęło może z sześć minut, kiedy bez pukania wlazł facet: trzydzieści lat, kowbojski kapelusz na głowie i bezmyślność w spojrzeniu. Te rzeczy rzucały się w oczy od razu. Zaraz potem kowbojskie buty, kowbojski pas triumfatorów rodeo z wielką sprzączką i ręce długie jak u małpy. Jadąc wierzchem, bez schylania się mógł pewnie drapać konia pod pachami.

– Pan detektyw? – zagaił, sadzając się na krześle bez zaproszenia. Kiedy siadał, woda ściekła mu z ronda stetsona (o ile był to stetson) na podłogę. Nie zauważył albo nie dotarło. – Pan detektyw?

– Ehe.

– Panie detektyw. Jest sprawa. Podejrzewam, że zdradza mnie żona. Trzeba ją śledzić. Ma pan ją złapać na gorącym uczynku. Da się zrobić?

– Ostatnie rodeo nie wyszło, co? Spadło się z byka, zanim minęło osiem sekund, co?

– Że jak?

– Drogi panie. Załaduj kolty do kabur, zawiąż lasso na pętelkę i wskakuj pan na rumaka, którego zostawiłeś pan pewnie przy stojaku na rowery obok Żabki na rogu. Biedna szkapa moknie tam na deszczu.

– Że co?

– Zepnij ją pan ostrogami i ruszaj na zachód. Po drodze znajdziesz pan pełno bydła. Taki kraj.

– Słuchaj pan, ja tu przychodzę w sprawie...

– Wiem, wiem. Żona się puszcza. Rzuć pan ją w diabły i znajdź sobie inną miłą squaw, zaoszczędzisz pan sobie nerwów i mnie fatygi.

– Więc właśnie ona…

– Od dzisiaj jestem na emeryturze. Siedzę w moim byłym biurze, bo moja żona sprowadziła gacha do domu i nie chcę im przeszkadzać. W książce telefonicznej znajdziesz pan detektywów na pęczki.

– Bo mi właśnie polecono pana…

– Nie da rady, kochany. Każdy rewolwerowiec prędzej czy później musi zawiesić swojego Smith & Wessona na kołku. Żegnam – powiedziałem i zacząłem zwijać małą, kwadratową karteczkę w rulonik. Po czym ją rozwinąłem. I zwinąłem. I rozwinąłem. I dalej. I znowu.

Siedział tak jeszcze chwilę. W końcu wstał i wyszedł kaczym chodem. Wyrzuciłem karteczkę w cholerę i spróbowałem zanucić *My rifle, my pony and me*.

Deszcz ciągle robił swoje.

Tym razem trwało to cztery minuty. Wiem, bo sprawdziłem na zegarze ściennym. Dzwonek telefonu biurowego zabrzmiał raz, dwa, trzy, cztery.

„Zobaczymy, kto dłużej wytrzyma" – pomyślałem. Za siódmym dałem za wygraną i nacisnąłem zieloną słuchawkę w telefonie.

– Halo.

– Biuro detektywa Kellera?

– Biuro detektywa Kellera.

– Pan detektyw Keller?

– Pan detektyw Keller.

– Dzień dobry panu! Nazywam się Karp, Filip Karp. Widzi pan, panie Filipie, ile mamy wspólnego już na początku rozmowy, ha, ha! – Radość aż buchała ze słuchawki. – Może pozwolę sobie zaproponować: przejdźmy na ty!

– Zostańmy przy „panu Filipie".

– Oczywiście, oczywiście! Panie Filipie! Jestem przedstawicielem firmy Spy & Sons, która zajmuje się sprzedażą sprzętu szpiegowskiego. Chcemy pana zainteresować...

– Sprzedażą sprzętu szpiegowskiego? Nie za dużo tych „sp"? To nie bardzo, wie pan, brzmi.

– No tak, tak... Więc, jak już nadmieniłem, chciałem panu przedstawić naszą ofertę dla prywatnych detektywów! Czy możemy umówić się na spotkanie? W pana biurze? Mogę wpaść za pół godzinki! – Aż wyczuwało się te wykrzykniki, kiedy mówił.

– Chwila, zaraz. Jaki sprzęt niby?

– Mamy szeroki asortyment sprzętu szpiegowskiego i detektywistycznego, który umożliwi...

– Panie Karpiu...

– Szereg rodzajów podsłuchów, kamer, pluskiew, wykrywaczy podsłuchu, a także testy wierności...

– Wierności?

– Tak jest! Testy wierności! Pozwalają stwierdzić obecność spermy na ubraniu czy na pościeli, wystarczy...

– Chryste, i coś takiego ludzie kupują?

– Oczywiście! To jeden z naszych najpopularniejszych towarów! Towarów, że tak powiem, he, he, gorących! Jak pan pozwoli, za kwadrans będę u pana z...

– Panie Karp, to obrzydliwe. Nie chcę żadnych pieprzonych testów.

– To bardzo trafne, he, he, pieprzonych testów. Jeśli tylko pozwoli mi pan pokazać, za dziesięć minut…

– Słuchaj koleś, jak cię tu z tym całym chłamem zobaczę, to dostaniesz takiego kopa w jaja, że już nikt nigdy nie zwątpi w twoją wierność. Nie będzie czego pobrać, skoro *cojones* będziesz miał jak tortille. *Verstehen*? – Nie czekałem na odpowiedź, tylko nacisnąłem mój ulubiony przycisk z przekreśloną słuchawką.

Posiedziałem bezczynnie minutę, włożyłem kurtkę i wyszedłem z biura. Ten pomyleniec gotów był tu jeszcze przyjść.

Na zewnątrz deszcz nie ustawał.

W barze panował cierpki zaduch. Ludzie siedzieli przy kontuarze i stolikach, sącząc napoje. Wgramoliłem się na stołek barowy i zamówiłem whisky z piwem imbirowym. Zapaliłem jednego i na serwetce wypisałem wszystkie śledztwa, które aktualnie były w toku: dorwać panią Kowalską *in flagranti*, zlokalizować Niestroja, złapać Rzeźnika z Krowodrzy.

Numer jeden mogłem wykreślić z rejestru. Zostawał Niestrój i Rzeźnik. Za co by się zabrać? Nie miałem pojęcia. Łyknąłem zdrowo i wyjąwszy dwuzłotową monetę, zdałem się na los. Orzeł – Niestrój, reszka – Rzeźnik. Wypadł orzeł. Rzuciłem jeszcze raz – reszka. Cóż, najlepiej byłoby, gdyby Niestrój okazał się Rzeźnikiem. Dwa jajka w jednym koszyku. Do trzech razy sztuka – i tym razem wypadł orzeł.

Łyknąłem ponownie i, jako osoba nieskora do poddawania się ślepemu fatum, postanowiłem zabrać się za grasującego mordercę. Na dobry początek zamówiłem jeszcze jednego drinka. Dobrze mnie nastrajał, a to nieocenione w moim fachu.

Zapaliłem następnego papierosa w nadziei, że w tak miłych okolicznościach spłynie na mnie natchnienie, jak się do sprawy tego cholernego rzeźnika zabrać. Właściwie nikt mi tego nie zlecał, ale, będąc stróżem prawa, bądź co bądź, można było od czasu do czasu zrobić coś *pro publico bono*. Oraz na poczet przyszłych lukratywnych zleceń. Nie miałem doświadczenia, jeśli chodzi o łapanie morderców, nie mówiąc już o seryjnych. Nigdzie tego nie uczą. Sam musiałem wszystko poukładać: każdy kawałek na swoje miejsce. Ale oto, kiedy właśnie zamierzałem zamówić trzeci raz to samo (trzy to piękna, harmonijna cyfra), pomoc nadeszła sama, nieoczekiwanie, zza baru. Jak to zwykle pomoc.

„Nadajemy komunikat specjalny w sprawie seryjnego mordercy". – Pani w nieokreślonym wieku prowadząca popołudniowe wydanie krakowskiej *Kroniki* spoglądała na nas wszystkich zgromadzonych w barze z ekranu telewizora umieszczonego pod sufitem. Wkrótce zaczęła czytać z kartki: „Policja zwraca się do mieszkańców naszego miasta z prośbą o pomoc w ujęciu sprawcy strasznych zbrodni. Sprawa tzw. Rzeźnika z Krowodrzy, jak nieoficjalnie się ją nazywa, wprawiła mieszkańców Krakowa w przerażenie. Obywatele! Policja trzyma rękę na pulsie! Specjalnie wydzielony oddział Wojewódzkiej Komendy Policji pracuje dwadzieścia cztery godziny na dobę nad tą jedną sprawą.

Wszelkie tropy i ślady, które zostały zabezpieczone na miejscu znalezienia ciał ofiar, zostały gruntownie przeanalizowane. Komendant wojewódzki zapewnia, że badane są wszelkie fakty, poszlaki, przypuszczenia i warianty". – Gdzieś to już słyszałem, więc skorzystałem z okazji, że barman opierał się o kontuar tuż obok i potrząsnąłem przed nim pustą szklanką, która momentalnie przestała być pusta. – „Złapanie mordercy to kwestia czasu. Nie należy wpadać w panikę. Nie należy wpadać w panikę!" – Nie wiedziałem, kto im pisał te teksty, ale jako obywatel czułem się w miarę spokojny jedynie dlatego, że nie byłem ładną babką chadzającą na długie samotne spacery. – „To największa pomoc, jakiej oczekujemy od mieszkańców – żadnej paniki! Policja czuwa! W związku z wieloma głosami pojawiającymi się na forum publicznym, jak również oddolnymi inicjatywami społecznymi, znanymi jako Patrole Sąsiedzkie – Złap Rzeźnika, które pojawiły się w ostatnim czasie, policja postanowiła zareagować na ten głos społeczny". – Musiałem łyknąć, bo myślałem, że mnie zwiódł słuch. Ale nie, spikerka podniosła wzrok i powtórzyła: „Policja postanowiła zareagować na ten głos społeczny". I nie wyglądała, jakby sobie robiła jaja. Popatrzyła tylko wymownie i wróciła do kartki: „W związku z oczywistą chęcią podniesienia poziomu bezpieczeństwa w naszym pięknym mieście, policja postanowiła przejąć odpowiedzialność za działalność wyżej wymienionych patroli. Każdy chętny do pełnienia tej obywatelskiej straży zobowiązany jest do zgłoszenia się do najbliższego komisariatu, gdzie pod nadzorem oficera zostanie zorganizowany patrol i pod komendą tegoż oficera przydzielony do patrolowania odpowiedniego terenu. Przypominamy, iż jedynym celem takich społecznych inicjatyw jest podniesienie poziomu bezpieczeństwa obywateli. Wszelkie czynności operacyjne należy pozostawić służbom do tego powołanym. Obywatele w patrolu pod dowództwem przydzielonego policjanta mają mu natychmiast przekazywać wszelkie informacje o pojawieniu się podejrzanej osoby. Przypominamy jeszcze raz, że pod groźbą poważnych konsekwencji wraz z odpowiedzialnością karną, zabarania się podejmowania samodzielnych prób zatrzymania podejrzanych osób bez wiedzy i udziału policji. Nie łap Rzeźnika sam! Zostaw to policji!" – W tym miejscu pani ponownie powtórzyła swój zabieg z zerknięciem w kamerę i jeszcze raz wypowiedziała dwa ostatnie zdania. Powiedziałbym, że z trudem powstrzymywała się od rechotu. – „Ale, doceniając obywatelską chęć niesienia pomocy w zidentyfikowaniu i schwytaniu zbrodniarza, policja dołoży wszelkich starań, aby współpraca z mieszkańcami miasta, którzy chcą pomóc, przebiegała wzorowo. Na koniec prosimy wszystkie redakcje o ponowne zaprezentowanie portretu pamięciowego podejrzanego. Podpisano, Komendant Główny...". Na ekranie znów ukazała się nijaka twarz z portretu.

– Wychodzi na to, że nie mają pojęcia, co robić – stwierdził jakiś dziadzio w kącie, który sączył herbatkę ze szklanki. Wszyscy w lokalu zgodziliśmy się niemo, przytakując bądź podnosząc szklanki. – Ja to bym wszystkich kulawych zamknął. I cyganów też. I komunistów. I tych, no, liberałów. To jeden pomiot. Mówię wam.

Dokończyłem drinka, zapłaciłem i wyszedłem. Jak już wypije herbatkę, powinien się zaciągnąć do patrolu, czujność to podstawa w tej robocie.

Nazajutrz, po wizycie w biurze i telefonach od zarządcy kamienicy w sprawie odsetek (udałem niewiedzę) oraz pani Niestrój (udałem wiedzę co do kilku śladów, które zamierzałem zweryfikować), sam udałem się, według instrukcji, do najbliższego komisariatu. Jak wszystkie siedziby zajmowane przez tę szacowną instytucję, budynek charakteryzował się brakiem jakichkolwiek inwestycji w stan techniczny od czasów generała Kiszczaka. Podszedłem do dyżurki z otworem konwersacyjnym w szybce za kratami, na wysokości mojego pęcherza bądź kolan Michaela Jordana, i pochyliwszy się (to pewnie o to chodziło, wiecie, obywatel skłania głowę przed władzą), powiedziałem:

– Ja do patrolu.

Dyżurny poprosił mnie o dowód, coś tam zapisał i powiedział, że dwieście dwa. Otworzył mi kratę i powlokłem się schodami, pierwszy raz od dziewięćdziesiątego szóstego czy siódmego, kiedy to za niewinność podążałem tą samą drogą.

Nie wdawajmy się jednak w sentymentalne wspominki. Dość, że piętnaście minut później, jako członek obywatelskiego patrolu, stałem wraz z dwójką innych członków przed obliczem naszego, że tak powiem, oficera prowadzącego. Oficerem był niejaki starszy sierżant Marszałek. Na wstępie oświadczył, iż nie życzy sobie niestosownych żartów z łączenia swojego stopnia służbowego oraz nazwiska, gdyż swoje już wycierpiał w wojsku, kiedy musiał meldować się jako kapral Marszałek. Poza tym, jak to policjant, miał wąsy, dużą, nalaną twarz o kształcie i fakturze przypominających naleśnik, i przylizane włosy. Sprawiał wrażenie człowieka, który minął się z powołaniem księdza, kiedy jak natchniony opowiadał nam o roli, którą spełniamy jako odpowiedzialni obywatele, i o walce z falą przestępczości mniej i bardziej zorganizowanej. Był bardzo dobry. Gdyby go nieco odchudzić, ogolić tu i ówdzie i przypudrować, nadawałby się, jak nikt, na rzecznika. Przez dziesięć minut pieprzył nam podniosłym tonem o szkodliwości bezstresowego wychowania, braku nadzoru rodzicielskiego w wieku gimnazjalnym, grach komputerowych pełnych przemocy (wymienił między innymi coś takiego jak „Grande auto", które to widział u syna na komputerze i był porażony tym, że Marszałek junior strzelał w tej grze do policjantów), oraz że za jego czasów ktoś taki jak Rzeźnik ganiający po ulicach byłby czymś nie do pomyślenia.

– I widok was tutaj, moi drodzy, widok was tutaj, nastraja mnie pozytywnie, bo widzę, że nie umarł duch inicjatywy w narodzie! – Zaczerwienił się trochę od tej przemowy, a jego uszy przybrały barwę wozu strażackiego. – Jak już mówiłem, nazywam się starszy sierżant

Marszałek i będę opiekunem waszego patrolu. To może parę słów o was, moi mili. Zacznijmy od pani.

Pani jako jedyna z obecnych siedziała na krześle przy staroświeckiej maszynie do pisania marki Łucznik, stojącej na stoliku na środku pomieszczenia, i wyglądała na starszą od tejże maszyny tak ze cztery razy. Nie wiem, ile mogła mieć lat, ale zapewne pamiętała innego marszałka, który przeniósł się do krainy wiecznych łowów w trzydziestym piątym.

– Pani Halino? Pani Halino!

– Hę?

– Pani Halino, pani powie parę słów o sobie.

– Mam na imię Halina – powiedziała pani Halina, wstając z krzesła i wyciągając rękę w kierunku starszego sierżanta Marszałka.

– No tak, hmm, to już wiemy. Pani Halino. – Musiała widać być trochę przygłucha, bo, zwracając się do niej, wyraźnie podnosił głos. – Co panią skłoniło do wstąpienia w szeregi obywatelskiego patrolu? Ma pani, bądź co bądź, swoje lata...

– Młody człowieku. To niegrzecznie wypominać wiek starszej osobie, i do tego kobiecie. To raz.

– Naturalnie, naturalnie... Najmocniej przepraszam.

– To niegrzecznie przerywać starszej osobie, do tego kobiecie. To dwa.

Tym razem był grzeczny.

– No więc... o co pytałeś?

– Co... Co panią skłoniło do przyjścia tutaj?

– A tak, tak... – Dumnie wyprostowała całą swoją posiwiałą sylwetkę na pełne sto pięćdziesiąt centymetrów i oznajmiła: – Postanowiłam dołączyć do tej waszej całej warty, bo sami to prędzej złapiecie zapalenie płuc niż tego całego Rzeźnika.

Po czym wróciła do Łucznika przy stoliku i, jakby nigdy nic, z wydobytej paczki vogue'ów wyjęła jednego, zapaliła i zaciągnęła się, po czym wydmuchała fantazyjny pióropusz dymu.

– Pani Halino, ależ… No wie pani, komisariat… – plątał się sierżant, który, wraz z karminową barwą oblicza, nagle jakby zmalał do starszego posterunkowego.

– Widzę. Ale popielniczki nie widzę.

Pani Halina na pierwszy rzut oka jak nikt nadawała się do tej roboty.

Drugi członek patrolu mógł być w wieku zarówno syna, jak i wnuka pani Haliny. Zależało naturalnie od tego, kiedy zaczęła. Nie mnie jednak było to oceniać. Drugi z kolei był mojego wzrostu, miał łysinę z pożyczką z potylicy, ale za to ciemny zarost niemal od samych oczodołów, niknący gdzieś za kołnierzykiem różowej koszuli. Pewnie broda właściwa kończyła mu się w butach. Sama różowa koszula mogła wydać się podejrzana. Ale najlepsze było jeszcze przed nami.

– A pan, panie…? – zwrócił się doń nasz sierżant.

– Nowak. Piotr Nowak. Ja z wyroku.

– Z wyroku?

– Tak jest. Czterdzieści godzin robót publicznych. Najpierw zabrakło miejsca przy zarybianiu Wisły kiełbiami, a potem, we wrześniu, przy obsłudze wizyty papieża. No to nie wiedzieli, gdzie mnie skierować i sędzia kazał mi się tu stawić do patrolu. Oficer dyżurny ma papiery. Już godzinę mam zaliczoną, panie starszy sierżancie.

– Nie byłem, nie byłem uprzedzany. Ale papiery sprawdzimy później. Czterdzieści godzin, mówi pan? A z jakiego paragrafu?

– A to i tak musiałbym powiedzieć, to część wyroku – stwierdził, spoglądając najpierw na mnie, potem na palącą staruszkę. – Artykuł 199, paragraf 1.

– Sto dziewięćdziesiąt… Paragraf który? – sierżant wyglądał na nieobytego w kodeksie karnym.

– Pierwszy. Wykorzystanie krytycznego położenia i doprowadzenie innej osoby do czynności seksualnej, panie władzo.

– A tak, tak. A konkretniej, jeśli wolno spytać?

– Nawet należy. Sędzia zobowiązał mnie do wyjawiania treści i uzasadnienia wyroku wobec osób nadzorujących mnie podczas wypełniania kary, jak również wobec współpracowników. Obnażałem się, panie starszy sierżancie.

– Wystarczy sierżancie.

– Obnażałem się, sierżancie.

– Rozumiem. Przed kim?

– Przed kobietami, panie sierżancie.

– Naturalnie, Nowak, naturalnie.

– Przed starszymi kobietami, sierżancie.

– Starszymi?

– Bardzo starszymi, sierżancie. Obnażałem się przed staruszkami. W parku.

– W parku. No tak. Gdzieżby indziej. W którym parku?

– Bez różnicy, sierżancie. We wszystkich. Im większy park, tym więcej staruszek.

– No tak. To zrozumiałe. Znaczy, zrozumiałe dla takiego zboczeńca jak wy, Nowak. Wybaczcie ostre słowa.

– Oczywiście, sierżancie. Sędzia kazał traktować niepochlebne opinie przełożonych jako część kary. Nadmienię tylko, że uczęszczam na spotkania grupy terapeutycznej. No i gdyby nie nadmierna frekwencja skazanych przy zarybianiu i przy papieżu, już byłbym zresocjalizowany. Ale mam nadzieję, iż pomoc w poszukiwaniu tego Rzeźnika pomoże mi w powrocie na zdrowe łono społeczeństwa.

– W waszej sytuacji nie powinniście chyba używać słowa „łono", Nowak.

– Tak jest, panie sierżancie. Na zdrowe... Na zdrowe...

– Zdrową tkankę. Zdrową tkankę społeczną. Tak będzie dobrze – sierżant Marszałek był z siebie wyraźnie dumny.

– Tak jest. Tkankę.

– No i został nam trzeci członek, pan...? – spytał, a zmieniając interlokutora, wyraźnie się rozluźnił.

– Keller. Filip. Ochotnik. Niekarany. Żadnych parków.

Był wyraźnie uradowany, że tak na pierwszy rzut oka przynajmniej jeden z jego podopiecznych ma wszystkie klepki.

– No dobra, moi mili – zwrócił się do nas. – Na dzisiaj nie przewidujemy, ha, ha, łapania kogokolwiek. Chciałem was tylko bliżej poznać. – Idź do parku, chciałoby się powiedzieć, ale trzymałem buzię na kłódkę. – Jeśli możecie się jutro stawić w tym samym gronie, to zbiórka przy... przy... – zaczął przeglądać trzymane w ręku papiery – to zbiórka pod komendą, bo jeszcze nam nie przydzielili rewiru do patrolowania. Może być o siedemnastej?

Nasza entuzjastycznie nastawiona grupka wydusiła coś niemrawo, że może być. Sierżant Marszałek kraśniał z radochy, że tak sprawnie poradził sobie z tym odpowiedzialnym zadaniem. Życzyliśmy sobie dobrego popołudnia i już nas nie było. Pani Halina zapaliła kolejnego szluga i udała się w lewo, ekshibicjonista w wersji dla mocno dojrzałych – w prawo (nie wiedziałem, czy nie przez sąsiedztwo jednego z miejskich zieleńców, ale wolałem nie dociekać), a ja? Za nic nie chcąc dogonić któregoś z nich, zlustrowałem dwa pozostałe kierunki, z których jeden – czerwone oblicze naszego oficera prowadzącego – odpadał w przedbiegach. Poszedłem więc przed siebie, ulicą Pomorską, w płonnej nadziei na odrobinę spokoju. „A może – mówiłem sobie – przez przypadek trafisz na kobietę swojego życia, kobietę, której cycata fizyczność będzie godna najlepszego detektywa w tym mieście? Taa. Gówno prawda".

Tu parę słów wyjaśnienia. Po kiego grzyba taki zawodowiec jak ja pakuje się w jakieś amatorskie ruchawki typu patrolowanie ulic pod egidą małopolskiej policji? Cóż, pewnie byłbym w stanie, przyłożywszy się nieco, dorwać tego całego Rzeźnika własnymi siłami, ale cały ten natłok spraw, które ostatnio prowadziłem i które zapewne zaraz się trafią, skłonił mnie do tego desperackiego kroku. Zamierzałem wyciągnąć jak najwięcej informacji o tym typie od naszych wesołych umundurowanych sierżantów, inspektorów i innych komisarzy, a kiedy już niemal osaczymy tego gnoja, wypaść jak Lance Armstrong z peletonu i go dorwać. Potem będą wywiady, dyplomy, intratne zlecenia, panie chętne i wdzięczne, że przed łapskami Rzeźnika uchronił je taki łebski detektyw. Tak to sobie wyobrażałem. Tak więc, u źródeł mych motywów, jak to zwykle bywało, stały lenistwo i chęć, aby inni za mnie odwalili większość roboty. Byłem bardzo z siebie dumny.

Lało od samego rana, a kiedy przed piątą dotarłem na Królewską 4, ulicami płynęły potoki. Pod zieloną parasolką (z napisem Carlsberg) czuwała już nestorka naszej wesołej gromadki, jakżeby inaczej, ćmiąc papierosa. Poszedłem w jej ślady, więc pozwoliła mi trzymać zapalonego szluga w schronieniu przed wodą. Darowałem sobie konwencjonalną gadkę o pogodzie czy innych pierdołach. I tak wszyscy wiedzieliśmy, że tkwimy w szambie po uszy, czy padało, czy nie. Ekshibicjonista dotarł parę minut po mnie, osłonięty wielkim, żółtym sztormiakiem. Kiedy już wszyscy się zgromadzili, sierżant Marszałek stwierdził widocznie, iż powaga jego stopnia pozwala mu w końcu na dołączenie do podwładnych, więc wychynął z głębi komisariatu. Wąsy i entuzjazm miał na swoim miejscu.

– Witam wszystkich! Gotowi do łapania morderczych rzeźników?

Pogoda była taka, że każdy morderca drzemał w chacie przed telewizorem, ale cóż.

– No to chodźmy na autobus.

– A ten... no, nie dali nam radiowozu jakiegoś? – spytał Nowak.

– Pan żartuje, prawda? No bo wie pan, u nas jest wszystkiego siedem samochodów, no i nie bardzo była możliwość... Poza tym nie mam prawa jazdy. – Sierżant wyłożył wszystko jak na talerzu. Rozproszeni podreptaliśmy tempem naszej emerytki w kierunku przystanku.

Pół godziny później dotarliśmy na miejsce, a konkretnie na osiedle o przewrotnej nazwie Cichy Kącik. Okolica wprost stworzona dla wszelkiej maści gwałcicieli i rzeźników. Drzewa, krzaki, zakamarki, ogródki działkowe. No, może niewygodna była bliskość największego trawnika w województwie, tam każdy złoczyńca byłby na widoku. Ale bliskość miasteczka studenckiego, samo to już mogło być podejrzane. Ze studentami zawsze było coś nie tak.

Zaczęło padać ze dwa razy mocniej. Wysiedliśmy na pętli i zgodnie z płynącą zewsząd wodą dobrnęliśmy do alejki przy Błoniach. No tak. Git. Sierżant stanął i rozglądał się, jak gdyby zewsząd przechodziły osiemnastolatki odziane jedynie w stringi.

– Sierżancie? – spytałem, bo nikt inny się nie kwapił.

– Hę?

– To co teraz?

– No tak. Trzeba ustalić plan. To nasz rewir. Tak. To nasz rewir.

„Wdepnąłeś w grząskie bagno, chłopie" – powiedziałem sobie po raz kolejny. Ale nie wypadało tak od razu dezerterować.

– To może siądźmy gdzieś pod dachem, omówimy strategię. Doprecyzujemy taktykę. Tam widzę jakiś dach – pokazałem na knajpę po drugiej stronie ulicy. Taką z gatunku udających, nie wiadomo po kiego, karczmę. Mgliście coś mi zaświtało, że kiedyś już odwiedzałem te progi, ale nie pamiętałem szczegółów.

Usiedliśmy pod wielkim parasolem na zewnątrz. Bądź co bądź, wciąż byliśmy na służbie. Trzeba było wypatrywać rzeźników. Wziąłem piwo, Nowak małe piwo, sierżant małe piwo („jestem na służbie"), a pani Halina zieloną herbatę.

– To gdzie mamy niby chodzić, panie sierżancie? – pierwszy zakłócił ciszę Nowak.

– Niech no sprawdzę… Tak… Ogródki działkowe, od krańca ogródków działkowych. Tam, gdzie Rudawa zbiega się z … Eee… Zbiega się z ... Mydlnicką! Tak, właśnie.

– Całe ogródki działkowe na naszej głowie? – spytałem.

– Nie, oczywiście, że nie tylko.

– Nie… tylko?

– No tak – odparł i wczytał się w papiery. – Bo jeszcze kwartał w obrębie ulic: Chodowieckiego, Reymonta, Reymana, 3 Maja. Tak.

– Sierżancie, to jakieś…

– I jeszcze tylko Park Jordana. – Oderwał się od papierów i był z siebie autentycznie zadowolony. – Ale za to Błonia już nie nasze!

– A to mi ulżyło. – Dokończyłem duszkiem piwo i zamówiłem drugie, korzystając z obecności kelnerki.

– Może nie powinniśmy zbyt dużo pić? – spytał, zamawiając kolejne małe piwo. – W końcu czekają nas obowiązki.

Zanim zdążyłem odpowiedzieć, z letargu obudziła się pani Halina. I od razu przeszła do konkretów.

– Panie policjant, słyszałam, że u was teraz ciężkie czasy. Ile pan wyciąga miesięcznie?

– Miesięcznie? No, to jakieś dwa sześćset brutto. Z dodatkami. I premią.

– Liczenie pensji brutto, to jak mierzenie kutasa od kręgosłupa – stwierdziła pani Halina i napiła się zielonej herbatki, po czym zapaliła kolejnego papierosa i straciła zainteresowanie rozmową.

Popijaliśmy w deszczu. To znaczy deszcz lał wokół, a my, jak rozbitkowie na wyspie, pod parasolem. Wszyscy, a ja na pewno, mieli nadzieję, że sierżant wobec szalejących żywiołów da nam na dzisiaj wolne od patrolowania. Mógłbym się już właściwie nie ruszać z miejsca. Niestety poczucie obowiązku było w naszym dowódcy większe nawet od jego wąsów.

– Zacznijmy od ogródków. Skoro już tu jesteśmy – stwierdził, kiedy dopiliśmy i na powrót zanurzyliśmy się w wodzie. Padało tak, że człowiek z każdym oddechem bał się utonięcia. Ale służba nie drużba, jak to mawiał kapral Kądziołko.

Emerytka pod parasolem, zboczeniec pod sztormiakiem, sierżant pod służbową czapką, jedynie ja goły, rzekłbym, mierzyłem się z przyrodą, kiedy wlekliśmy się wzdłuż ogrodzenia, drzew, krzaków i innej roślinności, która otaczała ogródki działkowe od tej strony. Było już wpół do siódmej, listopad, do tego ten deszcz, więc nie bardzo mogłem dostrzec żółty sztormiak Nowaka, nie mówiąc o czymkolwiek innym. Na moją uwagę, że trochę ciemno, nasz nieoceniony sierżant wyciągnął skądś cztery latarki wielkości flamastrów i wręczył po jednej każdemu. O tyle się polepszyło, że teraz bez pudła mogłem dostrzec własne buty. Z tymi policyjnymi reflektorami i przy tej ścianie deszczu mogliśmy mieć problem z powrotem do cywilizacji, a co dopiero mówić o szukaniu złoczyńców. Ale nic to. Przynajmniej leciały godziny wyroku naszego kolegi.

– Jak na wojnie – powiedziała Halina. – Zupełnie jak w trzydziestym dziewiątym. Wtedy też tak padało.

– Pamięta pani tamten wrzesień? – spytał sierżant, przejęty od policyjnych butów po policyjną łysinę.

– Czy pamiętam? Jakby to było dziś, synu. Też tak padało.

Minęliśmy w deszczu jakiś budynek po lewej. Plamy asfaltu malały coraz bardziej wśród ogólnego potopu. Prócz nas nie było w okolicy żywej duszy. Choć może była, tylko że efektywne pole widzenia ograniczało się do odległości efektywnego kopniaka. Ale, jak jeszcze raz przekonała nas pani Halina, było zupełnie jak w trzydziestym dziewiątym.

– Co wy możecie wiedzieć o wojnie? Hę? – stanęła, by odpalić kolejnego papierosa. Ogień zapalniczki upiornie oświetlił jej starcze rysy. – Ty na przykład, młodzieńcze. – Wskazała na wyrokowca. – Co robiłeś w trzydziestym dziewiątym?

– Urodziłem się w siedemdziesiątym szóstym, proszę pani.

– Którym? Siedemdziesiątym? No widzisz. Co ty możesz wiedzieć o wojnie? A ty?

– Mój dziadek służył w AK – odparłem, zgodnie z prawdą.

– AK? Ach, ci nasi chłopcy! – aż jej się załamał głos. Zapunktowałem, nie ma co. – A gdzie walczył?

– W różnych miejscach. Pod Tobrukiem na przykład.

– Tobruk? Tobruk? To gdzieś w Kieleckiem?

– Można tak powiedzieć.

– Może skończmy tę pogawędkę o starych dobrych czasach, trzeba kontynuować… – wtrącił się sierżant, ale starsza pani ani myślała wracać do roboty.

– Nie przeszkadzaj, synu. A ty powiedz, twój dziadek dostał jakieś medale? Na pewno Krzyż Walecznych!

– Krzyż, a jakże. Drugiej klasy.

– To na pewno wiele ci opowiadał, prawda?

– Nie wrócił z wojny, pani Halino.

– A to biedak. Tak jest, tylu naszych chłopców nie wróciło… – Staruszka się zamyśliła, ćmiąc fajkę, podczas gdy sierżant badał pod światłem latarki coś pod wodą, która sięgała nam już niemal do kostek. Ekshibicjonista

Nowak marzył pewnie o jakimś miłym, słonecznym parku w pełni lata, a ja w myślach prosiłem dziadzia Friedricha o wybaczenie i wstawiennictwo, bo ten wieczór nie mógł skończyć się inaczej niż jakąś katastrofą.

My jednak znów ruszyliśmy wśród egipskich ciemności. Nowak, błyskając co jakiś czas wśród mroku żółtym sztormiakiem na szpicy, za nim dowódca naszego upośledzonego patrolu. Potem wciąż paląca seniorka, a na końcu stawki ja, przemoczony od stóp do samych trzewi. Postanowiłem się urwać, jak tylko nadarzy się okazja. W gospodzie mogłem przeczekać ten potop. Poza tym, kretynizm miał w końcu swoje granice. „Chyba cię pojebało – powtarzałem jak mantrę – że dałeś się w to wciągnąć".

Tymczasem skręciliśmy i znaleźliśmy się na terenie ogródków działkowych i, mimo ulewy i ciemności, dało się rozróżnić mijane płotki, drzewka owocowe i trawniki.

– Dobra, rozglądajcie się uważnie. Czujność to podstawa – poinformował nas sierżant i dając przykład, wpadł na coś, co okazało się koszem na śmieci. – Co to...? A, tak. He, he. Więc tak: czujność i refleks! Coś mi mówi, że możemy mieć dziś szczęście!

„Czyli zgubić się nawzajem" – dopowiedziałem pod nosem.

Skręciliśmy w szeroką alejkę (która w świetle latarek przypominała Niemen, co tam Niemen, cholerny Nil), kierując się mniej więcej na powrót ku Błoniom.

– Rozdzielmy się, w ten sposób przeszukamy większy teren – błyskotliwie zaproponował nasz dowódca. Zgodziliśmy się przez aklamację. Halina poszła z nim w lewo, mnie się trafił ekshibicjonista Nowak. Ruszyliśmy tempem kulawego wałacha alejką, *pardon*, odpływem na prawo. W tym momencie widoczność była już tak znikoma, że mordercę człowiek zauważyłby dopiero wtedy, kiedy ten zaczynałby go mordować. Ale przynajmniej szliśmy – zakosami co prawda – w kierunku cywilizacji. Wytężałem bynajmniej nie sokoli wzrok i od czasu do czasu z ciemności i kolejnych fal lejącej się z czarnego nieba wody przebijało jakieś nikłe światełko sączące się spośród gałęzi, spomiędzy zasłon, gdzieś od lampy albo telewizora. Pewnie jacyś nieszczęśni kolesie, których żony wydymały na wszystkie sposoby, tutaj znaleźli dach nad głową. Wśród dzikiej przyrody, w małych klitkach z dykty, żywiący się konserwami turystycznymi albo płotkami z Rudawy, dokonywali tu swojego żywota. „To coś jak cmentarzysko słoni – pomyślałem – one jakoś tak idą, kiedy przyjdzie już ich czas, do rzeki czy na bagna i po prostu toną. Kurwa mać. Trzeba sobie będzie kupić jakąś działkę z pakamerą, Keller".

Tak to sobie wtedy wyobrażałem, ale może to ten deszcz i hipotermia, w którą powoli wpadałem, krzywiły moje wyobrażenia. Zaczynałem właśnie doznawać lekkich drgawek, kiedy, jak w jakimś najmarniejszym powieścidle kryminalnym (deszcz, chłód, poszukiwania mordercy, no normalnie żaden pisarz na poziomie by nie stworzył podobnego gniota), rozległ się krzyk. Co tam krzyk, wrzask jak się patrzy. Rozległ się z naszego, że tak powiem, drugiego skrzydła. Ni to męski, ni to żeński, rozciął noc (to też by się znalazło w kiepskim powieścidle) i trwał przez chwilę, po czym znów zapanowała cisza. Nie licząc naturalnie jednostajnie hałasującego deszczu.

– Co to? – spytał Nowak. – Kto to?

– Skąd mam niby wiedzieć, w mordę... – Pomyślałem o ucieczce, potem znów pomyślałem o ucieczce, ale w końcu nie nazywałbym się Keller, gdybym dał dyla. Tak sobie pomyślałem, w trzeciej kolejności. Ale cóż ma do tego nazwisko, przecież gdyby nie ten koleś obok, który najwyraźniej nigdzie się nie wybierał, a wręcz przeciwnie, wydawał się żywo zainteresowany, już dawno byłbym w przyspieszonej drodze powrotnej do knajpy. Ale nie mogłem wypaść przy nim jak cykor, w końcu to szczyl, a do tego zboczeniec. Opanowałem dreszcze (z zimna, ma się rozumieć) i głosem, jakim Patton bądź Rommel musieli dawać rozkaz do ataku swoim pancernym zagonom, powiedziałem:

– Chono, młody.

I poszliśmy, brodząc wśród ciemności i zewsząd lejących się kaskad wody. Ja nieco z przodu, jak na dowódcę przystało albo może tak wyszło, on nieco z tyłu. W mroku udało mi się schwycić przypadkowo jakąś pałę, gruby drąg, zapewne służący do jakichś robót działkowych, opierający się o jedno z ogrodzeń. Od razu poczułem się pewniej. Niech no tylko ten pieprzony Rzeźnik pojawi się w polu rażenia mojej, hmm... No niech no tylko pojawi się gdzieś w pobliżu, to tak go urządzę, że pani rzeźnikowa weźmie jego ryj za nieświeży szponder. I odechce mu się krojenia miłych, młodych dziewcząt. Poczułem się całkiem nieźle, widać adrenalina dodaje animuszu.

Skręciliśmy ze dwa czy trzy razy, meandrując mniej więcej, jak mi się zdawało, w kierunku, skąd dobiegł krzyk. Wtedy wrzasnęła (wrzasnął?) ponownie. I to blisko, bliziutko, i to tak, że poczułem, jak z tego stresu w pierwszej kolejności siwieję, a w drugiej robią mi się zakola. Za to Nowak przywarł do mnie jak przerażona pijawka. Odgoniłem go kijem i poinformowałem szeptem, że jeśli ten przejaw nieprofesjonalizmu się powtórzy, nakarmię nim szczupaki w Rudawie. Nie wiem, czemu chodziły mi po głowie te wszystkie ryby. Zagiął mnie tymi kiełbiami. Uspokoiłem tętno i oddech, chwyciłem mocniej kij i wytężyłem wzrok, próbując przebić nim ciemność i wodę.

Przed nami była siatka poprzerastana żywopłotem i krzakami. Dalej, w mroku, majaczyły drzewa i bezkształtna bryła altany bądź domku, bo też mało która altana jest piętrowa. Bez najmniejszych wątpliwości krzyczano z tej właśnie posesji. Trzeba było to zbadać. Trzeba? Może lepiej wezwać posiłki? Straż, pogotowie, kolegów i koleżanki naszego dzielnego sierżanta, który zaginął w akcji? Postanowiłem, jak na doświadczonego stratega przystało, wysłać mojego podkomendnego na zwiad.

– Ni chuja – nie wydawał się zachwycony. – Żaden zwiad. Nigdzie się nie ruszam.

– Słuchaj, młody, tam może być Rzeźnik. Tam być może dochodzi do morderstwa. Każdy obywatel ma obowiązek przyłapać przestępcę na gorącym uczynku. No, dawaj. Znajdziemy ci jakiegoś kija…

– Pieprzę, ja tu nie jestem, żeby łapać cholernych morderców. Ja tu odpękuję wyrok. Jeszcze trzydzieści sześć godzin, nie więcej.

– Młody, tam są nasi ludzie! Sierżant Marszałek, kurde, może potrzebować pomocy. Może go trzeba reanimować. Albo potrzymać za rękę – próbowałem dalej. – A pani Halina? Nie żal ci staruszki? Przeżyła wojnę, a teraz tu na tych działkach...

– No dobra. Pójdziemy razem. Ja i pan. Ja tuż za panem.

– Nowak, jesteście hańbą naszej brygady – powiedziałem, jak mi się wydawało, po wojskowemu, czym zakończyłem ten bezowocny dialog. Po czym przerzuciłem kij przez płot i zacząłem się wspinać do góry. Ręka, ręka, noga, noga, ręka, noga, noga, uwolnić nogę, uwolnić nogawkę, ręka, ręka, ręką, o kur... Pozbierałem się z ziemi po drugiej stronie, czujny niczym ryś, gotów do skoku, gotów na śmierć. To było jak wojna, tylko ciemniej. Ktoś podszedł z lewej i wyciągnął coś do mnie. Moja broń i ekshibicjonista we własnej osobie.

– Tu zaraz jest furtka – powiedział.

– Cicho, bo nas usłyszy! – opierdzieliłem go, chwytając kij. Między nagimi gałęziami i strugami wody widać było mizerne, żółte światło dwóch czy trzech okienek budynku. – Krótkimi skokami, Nowak, no już!

Jednym krótkim skokiem pokonaliśmy chyżo dystans dzielący nas od ścian domku. Przypadliśmy do muru. Nad nami były dwa okna, zbyt wysoko, żeby choć zajrzeć do środka. Za to zagłębienie terenu, w którym się znaleźliśmy, powodowało, że woda nagle sięgnęła nam do kostek. „Jeśli postoimy tu chwilę – myślałem – to za niedługo będzie można do tych okien dopłynąć. Tylko ta ofiara zboczona nie umie pewnie ani kraulem, ani żabką". Przemknął mi przez myśl obrzydliwy obrazek, ja i Nowak podczas reanimacji... Trzeba było znaleźć drzwi i to czym prędzej.

Drzwi znajdowały się za węgłem, co więcej, były uchylone. „To jest to, Keller – przemknęło mi przez myśl. – Wóz albo przewóz. Wchodzisz albo idziesz na piwo. Tak albo tak. Ale w środku też w końcu musieli mieć coś do picia" – pomyślałem. Wszedłem do środka z duszą na ramieniu i ekshibicjonistą dyszącym mi w plecy. Marna żarówka rozświetlała równie marny przedsionek z kilkoma drewnianymi schodkami. Wieszak z kurtkami po prawej, jakieś kalosze na ziemi. Zza drzwi u końca kiszkowatego pomieszczenia dobiegały jakieś przyciszone głosy – dwie, trzy osoby. I dałbym Nowakowi łeb uciąć, że jęki. Piski, jęki i piski. O co mogło chodzić? Najpierw ten piekielny krzyk, a teraz te miauczenia jakieś, piszczenia, jęczenia? No i te działki, potop na działkach? To wszystko razem było bardziej chore niż podwieczorek z Idim Aminem. Chwyciłem mocniej kij, pokonałem schodki i, odliczywszy do trzynastu (moja szczęśliwa liczba), kopniakiem otworzyłem drzwi.

W środku było o wiele jaśniej, więc mój przywykły do ciemności wzrok musiał przez chwilę przywyknąć do braku ciemności. A jak już przywykł, to znowu musiał przywyknąć. Tym razem do zastanego widoku.

Pokój był równie beznadziejny jak okolica i cała ta sytuacja, marnie wyposażony i niedający nadziei na poprawę. Kanapa, stolik, drugi stolik, jakieś krzesła, ogólnie syf i nieporządek. I to w moich oczach, zaznaczam. Na kanapie siedziała pani Halina i paliła papierosa. W ręce bez papierosa trzymała szklankę z czymś nieokreślonym i wyglądało na to, że nieźle się bawiła. Po drugiej stronie pokoju, przy kolejnych drzwiach, stał wąsaty koleś. Stał i gapił się na mnie, co w sumie nie mogło dziwić, skoro wpadłem razem z drzwiami i dwumetrową pałą, *pardon*, kijem. Gdzieś mi przemknęło, że już go widziałem, ale nie było czasu na analizy, bo w pokoju znajdowała się jeszcze trzecia osoba.

Starszy sierżant Marszałek leżał na podłodze, leżał i kwilił, na przemian z przeklinaniem. Co najmniej dwa razy usłyszałem z jego ust słowo „kurwa", a przecież był na służbie. No, ale usprawiedliwiał go pies, który trzymał w pysku jego nogę. Znaczy, nie tyle pies, co jakieś cholerne bydlę, pitbul czy coś, wielkości zdrowego cielaka, choć to może tak na pierwszy rzut oka, no może wielkości niedożywionego cielaka, może tak, w każdym razie szczęki miał jak niedożywiony, kurna, tyranozaur, i te swoje szczęki jak dwie łyżki koparki zaciskał na nodze sierżanta Marszałka.

Nikt (poza pitbulem ze szczękami) się nie poruszył, od kiedy wpadłem. Nie bardzo wiedziałem, co robić, najchętniej wyrwałbym pani Halinie napój i sam go dokończył, ale potwór dalej gryzł, tak więc odezwała się moja dawno uśpiona część osobowości odpowiadająca za czyny bohaterskie. Wziąłem (a raczej podniosłem, bo w końcu cały czas go dzierżyłem) kij, pałę, lagę i z całej siły walnąłem psa w krzyż. Serce mi się krajało, bo kocham zwierzęta, ale ten skurwiel zębaty musiał mieć rozum w kłach, bo nawet nie mrugnął po tym ciosie, tylko dalej się wgryzał. A Marszałek dalej jęczał. No to wziąłem jeszcze większy zamach i walnąłem go przez łeb. Kij był dość gruby, toteż człowiekowi dawno by wyleciała szczęka, nieważne, sztuczna czy nie. Piesek sapnął głośno i dalej pogrążał się w nodze.

Nie pozostawił mi wyboru. Z całej siły wetknąłem mu kij w ucho, wiercąc nim w lewo i prawo. Zapiszczał i odbiegł. Poczułem się jak Żukow pod Reichstagiem. Zanim posmakowałem swego tryumfu, pies zmienił zdanie i zarzuciwszy zadem, ruszył z powrotem, tym razem patrząc już na mnie. Pieprzony pies Baskerville'ów szczerzył kły i szedł w moim kierunku. Podniosłem lagę i pogroziłem mu. Usiadł i zaczął sapać, wywaliwszy jęzor wielkości saperki.

– Grzeczny piesek – stwierdziłem. Teraz mogłem zabrać się za resztę towarzystwa.

– Wabi się Dambo – powiedziała pani Halina. – Tak się wabi. Doskonała ta nalewka. Doskonała – mówiła nieco wolniej niż zazwyczaj. – Proszę poczęstować tego oto dżentelmena. To porządny obywatel. Ten drugi też jest porządny, ale mniej.

– Kto panowie są? – spytał wąsaty nieznajomy i wtedy go skojarzyłem. – Rambo! Wabi się Rambo! Rambo! Bierz ich!

– Grzeczny piesek – stwierdziłem, a brytan, właściwie oceniwszy siłę argumentów, siedział dalej.

– Aua... – zawył starszy sierżant Marszałek.

Nowak nic nie powiedział, tylko stał i głupio wyglądał. Wziąłem od naszej wesołej staruszki szklankę, bo miała najwyraźniej dosyć. Nalewka była naturalnie paskudna, ale poszło gładko, bo też w stresie można wypić i borygo bez zakąszania.

– Rambo! – zaczął znów koleś, i ten jego głos, ten wąs, ten durny wyraz twarzy, tak, to był strzał w dychę. Ma się ten węch prawdziwego psa gończego! Rambo mógł mi skoczyć. Znów czułem się jak najlepszy fachowiec w mieście. Znów na tropie, znów wszystkie poszlaki w garści. Strzał w sam środek tarczy. Przebieranki, taa? Sztuczne wąsy, taa? Wtedy, na mityngu nie byłem pewien, ale teraz? Nie ze mną te numery, Niestrój!

– Nie ze mną te numery, Niestrój! – powiedziałem głośno i dobitnie. – Aleś tu sobie znalazł norę. Pierwszorzędna. Ale co z tego? Myślałeś, że cię nie znajdę? Jestem najlepszym detektywem w mieście. Znalezienie takiego wała jak ty, to dla mnie pestka! Wpadłeś jak śliwka w gówno! Już na mityngu dla tych pijaczków miałem cię na widelcu.

Niestrój stał bez słowa i wbijał we mnie ślepia. Rambo siedział i też wbijał. Pani Halina próbowała napić się z butelki. Odebrałem jej flaszkę i popiłem nieco. Nowak stał przy drzwiach i wpatrywał się w nas wszystkich po kolei.

– Aua... – ciągnął swoje starszy sierżant Marszałek.

Po chwili wąsiasty odzyskał mowę.

– To jakieś nieporozumienie! O co wam chodzi? Nie znam żadnego Niestroja! Kto to jest Niestrój? Ja się pytam! Lepiej zrobicie, jeśli już sobie pójdziecie. Bo zadzwonię po policję.

– Policję? To my jesteśmy policja! A ten tu sierżant to już najbardziej. A to podpada pod czynną napaść na funkcjonariusza. Prawda, sierżancie?

– Mphyy... – zajęczał nasz dzielny funkcjonariusz. Zrobił się nieco szary na twarzy. „Jeszcze nam kipnie – pomyślałem. – Trzeba mu zrobić opatrunek. Odkazić ranę. Tak jest. Niestrój musiał poczekać".

Łyknąłem nieco z wciąż trzymanej flaszki. Taki zajzajer musiał zabijać wszelkie żywe organizmy, nada się. Rozdarłem poszarpaną nogawkę. Sierżant przestał jęczeć, teraz tylko przypatrywał mi się nieprzytomnie. Rambo użarł go w łydkę tak, że widać było każdy ślad zęba z osobna, dziurki wielkości główki od pinezek wypełnione krwią, ułożone owalnie. Krew spływała niżej, po nodze do buta i na podłogę. Polałem mu nogę tą paskudną nalewką.

Jak już odzyskał przytomność, zaczął szlochać i rytmicznie uderzać potylicą w podłogę.

– Ja chcę do biura... Praca operacyjna to nie dla... mnie... Ja chcę... za biurko... Do archiwum... Tam jest dużo biurek... – I tak w kółko. Pani Halina wytrzasnęła skądś poduszkę i podłożyła biedakowi pod głowę.

– Mój Henio miał tak samo. Jak się nabzdyczył, płakał i wyzywał mnie od najgorszych. Kropka w kropkę – powiedziała. Miała nieźle w czubie.

– Dawaj koszulkę, młody.

– Ja?

– No chyba nie ja!

Ściągnął sztormiak, koszulę i T-shirt. Podał mi ten ostatni. Spróbowałem podrzeć cholerstwo w rękach wzorem bohaterów kina akcji, ale materiał tylko się rozciągnął. Dałem spokój i obwiązałem sierżantowi nogę niezbyt zgrabnym kokonem. Dobra. Załatwione.

– Teraz twoja kolej – powiedziałem, wskazując na Niestroja. W tym samym momencie otworzyły się drzwi i weszły dwie panie. W świetle przydymionych żarówek trudno było określić ich wiek, ale starsze ode mnie raczej nie były. Chociaż wyglądały na nieźle przechodzone. Pierwsza z nich, blondynka, oparła ociekający wodą parasol o ścianę. Druga, brunetka, sama się oparła. Obie, ubrane w płaszcze, żuły gumę i paliły papierosy jednocześnie. Nie wyglądały na zdziwione. Wszyscy – oprócz pani Haliny, która próbowała wyrwać mi flaszkę – zastygli w oczekiwaniu.

– Na psa się nie pisałyśmy – powiedziała pierwsza. – Babcia może zostać, ale pies odpada.

– Dambo. Wabi się Dambo – powiedziała pani Halina, ciągnąc ku sobie z całych starczych sił szyjkę butelki. Jej już wystarczyło, mnie w żadnym wypadku. Dałem jej delikatnie po łapach, aż poleciała do tyłu, lądując bezpiecznie na wersalce. Niestrój stał jak wryty, trochę jakby pobladł. Nie było czasu do stracenia.

– No ładnie. Żona pieli kwiatki na Rakowickim, a ty tu kurwy sobie sprowadzasz? – wygarnąłem mu. – Chciałeś, żeby afera przycichła, tak? Nie chciałeś się rzucać w oczy, co? Zaszyłeś się z Dambo w tej szopie i myślisz, że tylko alfonsi tu trafią, tak? – Wpatrywał się we mnie coraz wyraźniej pobladły. – No to wyszoruj sobie dobrze uszy, bo coś ci powiem, kolego. A gówno! Mam cię jak glistę na haku! I zaraz rzucę na pożarcie halibutom. Mówiłem już, że jestem najlepszym detektywem w mieście, czy nie?

– Mówił pan – powiedział młody.

– Otóż to, Niestrój. Otóż to. Nawet ten tu to wie.

Za to ja nie bardzo wiedziałem, co teraz robić. Najlepiej byłoby go aresztować pod jakimkolwiek zarzutem, deprawowania staruszek chociażby. Albo dręczenia zwierząt. Potem doprowadzić do konfrontacji z panią Niestrój. Tak jest. Potem mogłaby mi podziękować za odzyskany majątek wczasami, dajmy na to, na Kubie. Albo zamiast tego dopuścić do swojego zagajnika. Tyle tylko, że ten fajtłapa, nasz sierżant Marszałek, znów stracił przytomność. Ale, ale... W końcu każdy obywatel ma obowiązek zatrzymać przestępcę, tak czy nie? A kilka paragrafów na pewno tu by się znalazło. „Tylko uważaj na psa, Keller, na psa". Bydlę miało mnie na oku. A raczej kij, który wciąż dzierżyłem w ręku.

Ruszyłem na Niestroja, profilaktycznie dźgając Dambo w żebra. Zaskomlał i odskoczył w kierunku wejścia. Panienki zaczęły się drzeć tak, że szyby i flaszka, którą zdążyłem odstawić na stolik, wpadły w wibracje. Pies w podnieceniu stanął na tylnych łapach i oparł się na ramionach jednej z dziwek. Ta poleciała do tyłu, z nią druga, i wtedy dopiero zaprezentowały, co to znaczy wrzask. Nowak wskoczył na tapczan obok pani Haliny, która tymczasem dopadła flaszki i pociągnęła z niej uczciwie. Odwróciłem się, a Niestroja już nie było. Skoczyłem za nim, ale coś mnie złapało za nogę. Zamachnąłem się drągiem, ale to nie były zęby, tylko ręka władzy w postaci prawicy starszego sierżanta Marszałka, który tymczasem nieco oprzytomniał.

– Jak... Jak... – wychrypiał. Miał oczy szaleńca. Nachyliłem się. „Może każe wezwać antyterrorystów – pomyślałem. – Albo przynajmniej da mi giwerę czy co". – Jak... Jak już go ubijesz... – sapał sierżant.

Tu przesadził. Byłem w końcu po stronie prawa.

– Jak go ubijesz, to nie wyrzucaj zwłok. Zbadamy krew, czy aby nie jest wściekły.

Ja tu prowadzę pieprzony pościg, chciałem wrzasnąć, ale zamiast tego strząsnąłem jego rękę i rzuciłem się w głąb budynku. W półmroku zauważyłem korytarz, a za nim kolejne pomieszczenie, rozświetlone migającą świetlówką. „Nie umkniesz mi, Niestrój, mam trop i już go nie zgubię – mówiłem sobie w myślach, gnając korytarzem. – Jestem lepszy niż ten cały twój Dambo. Dorwę cię, przetrącę ci kilka żeber, a następnie doprowadzę przed sprawiedliwe i ponętne oblicze małżonki".

Wpadłem do kolejnego pokoju – jakieś regały, stołki, puszki, wiadra, słoiki... Rozpędem zrobiłem dwa kroki i wyrżnąłem łbem o szafkę. Zamroczyło mnie na moment i aż przysiadłem, ale poczucie obowiązku poderwało mnie i zaraz, jak to mówią, zabezpieczyłem teren. Wymachując kijem, obskoczyłem wszystkie kąty – jak się okazało – garażu i przy okazji porozbijałem nieco zgromadzonego tam szkła. Nikogo nie było. Podnoszona brama garażowa była zamknięta. Świetlówka drażniła wzrok, migocząc jak przedsionki przy ciężkim zawale. Stanąłem na środku, nasłuchując. Poza dobiegającymi zza kilku ścian wrzaskami prostytutek nic się nie działo. „Skurwiel się zapadł pod ziemię" – pomyślałem. I wtedy dostałem w łeb.

Oberwałem tak, że jak już doszedłem do siebie na zimnej, betonowej podłodze, nie pamiętałem samego momentu uderzenia. W głowie czułem i słyszałem rój pszczół, nogi miałem jak z galarety. Pomacałem potylicę, czaszka była cała, ale kutafon rozciął mi tym czymś skórę i palce trafiły na lepką i ciepłą wilgoć. Stanąłem na szeroko rozstawionych nogach i trzy-cztery razy odetchnąłem głęboko. Dobra. Dobra. Brama była otwarta, a w ścianie w kącie garażu było wejście do maciupeńkiej kotłowni. „Tam się musiała menda zaczaić. Schopenhauer miał rację – pomyślałem. – Nie należy działać, bo to tylko wywołuje cierpienie".

Świetlówka sprawiała mi fizyczny niemal ból, a na zewnątrz lało. Nie miałem tu nic do roboty, no to wróciłem do salonu. Widać chwilę musiałem przekimać, bo zastałem nieco zmian. Sierżant, trzymając się za nogę, siedział oparty o ścianę i żywo dyskutował z jedną z panienek, które tymczasem zrzuciły płaszcze i ujawniły swoje, jak najbardziej odpowiednie do zawodu, stroje. Pani Halina, kiwając się miarowo na boki, spoglądała pod światło w czeluść pustej już butelki. Druga panienka, paląc papierosa i wciąż międląc gumę, siedziała obok, słuchając Nowaka, który coś jej nawijał nad uchem. Dambo, sapiąc i dysząc, posuwał parasolkę, wciąż opartą o ścianę przy drzwiach. Przynajmniej on się dobrze bawił.

Kiedy wszedłem, wszyscy – oprócz psa – przerwali swoje czynności i skierowali się w moją stronę w oczekiwaniu. „Chyba trzeba zasunąć jakąś puentę, Keller. Chyba tak".

– Spierdolił – powiedziałem w panującej (nie licząc sapania) ciszy. Po czym wszyscy wrócili do swoich dotychczasowych zajęć. „Czas na ciebie, stary" – pomyślałem. Rzuciłem drąg, który niechcący upadł na zranioną nogę sierżanta. Ten wrzasnął, ja przeprosiłem, ten wrzasnął ponownie, więc przestąpiłem nad nim i podszedłem do wyjścia. Pogłaskałem Dambo po zajętej głowie i chciałem go jakoś przeprosić za to ucho, ale zanim zdążyłem cokolwiek powiedzieć, Nowak podniósł się energicznie z postanowieniem w oczach, podszedł do pani Haliny, która w pustej flaszce wciąż szukała czegoś, co każdy z nas w tym samym miejscu spodziewa się znaleźć i, odrzuciwszy poły żółtego sztormiaka oraz ściągnąwszy spodnie i gatki, ukazał jej swoje prawdziwe oblicze.

Jak już znalazłem się na deszczu i w ciemności, bezpieczny od nich wszystkich, pomyślałem, że taki widok zostanie z nią niewątpliwie do końca życia. Szczęście w nieszczęściu polegało na tym, że to już pewnie niedługo.

Brnąłem przez potop, aż w końcu udało mi się jakoś dotrzeć do suchego portu knajpy. Wyżąłem wierzchnie nakrycie, pozbywając się paru kilo, i posadziłem zadek przy barze. Zamówiłem podwójną lufę oraz piwo. Zapaliłem papierosa i zaciągnąłem się aż po dno płuc. Zimna woda spływała mi od cebulek włosów do samych pięt. Zaciągnąłem się ponownie i ciarki przeszły mnie w przeciwnym kierunku, od stóp do sufitu. „Jeszcze się nabawię gruźlicy. Co za kurewski biznes. Trzeba było zostać górnikiem, Keller. Przynajmniej nie padałoby ci na łeb. No i ta trzynastka, czternastka i piętnastka. Nie licząc barbórki. Cholerny świat".

Lufa i piwko stanęły przede mną, więc, odchylając głowę do tyłu, łyknąłem płynne, lodowate lekarstwo. Popiłem żywcem i, coby na pewno wytępić wszystkie prątki wokół, zamówiłem drugą kolejkę. Leczyłem się, suszyłem i rozważałem przejście na emeryturę, kiedy do środka weszły dwie panienki z domu Niestroja razem z niskim wypłoszem o twarzy surykatki. Rozsiedli się na stołkach barowych obok mnie.

– Witam panie – powiedziałem, salutując im kuflem. – Pogoda, że człowiek Dambo by nie wyrzucił na pole, co nie?

– Co to za jeden? – spytał mały. Był ostrzyżony na jeża i zezował na lewe oko. Ostrzyżona na jeża, zezująca surykatka. – Znacie go?

– Był w domu – powiedziała blondyna, zajmująca miejsce bliżej mnie. Odpaliłem jej papierosa.

– Taa? – powiedział mały. – To może on zapłaci za mój czas? Co, koleś?

Wypiłem drugą lufę i zapiłem piwem. To musiała być ich obstawa. Taa. No i z taką posturą to musiał mieć przy sobie działko przeciwlotnicze.

– Co dla was? – spytałem dziewczyn. – To wasz alfons?

– Martini – odparła blondyna. – Kierowca.

– Whisky z wodą – odparła brunetka. Brunetki zawsze bardziej mi się podobały.

– Whisky z colą – powiedział zezowaty.

– Martini i whisky z wodą dla pań. Dla mnie jeszcze jedna wódka – poprosiłem barmana – a dla kolegi colę.

– Nie wkurwiaj mnie, koleś! – krzyknął, zezując na mnie lewym okiem.

– Kierowca – kiwnąłem głową z udawanym zrozumieniem do barmana.

Drinki i cola szybko wylądowały przed nami. Wzniosłem szklaneczkę. – Zdrowie niepijących!

Wypiliśmy. Podsunąłem dziewczynom popielniczkę.

– Nie wkurwiaj mnie, koleś! – Nie dość, że wyglądał jak pustynny szczur, miał zeza i białe adidasy, to jeszcze się odzywał nieproszony. Denerwował mnie.

– Udane przyjęcie, nieprawdaż? – spytałem. – Tylko gospodarz jakiś taki niegościnny. Uciekł i tyle go widzieli. I, jak ten dżentelmen zauważył, nie zapłacił paniom za ich czas.

– Już ja go… – zawarczała surykatka. – Ja kutasa dorwę. Panie starszy! – zawołał do barmana. Jeszcze jedna cola. Zaschło mi w gardle od tego zdenerwowania. Co się szczerzysz, koleś? – To ostatnie było skierowane już do mnie. – Ciśnie mnie. Idę do klopa…

Zeskoczył ze stołka i zniknął gdzieś w półmroku dalszych części lokalu.

– Coś skwaszony wasz kolega – powiedziałem. – A taki piękny wieczór.

Popiliśmy unisono, wznosząc toast za pomyślność naszą i innych zagubionych wędrowców. Postanowiłem też przerzucić się na whisky. Wcześniej jednak sprawdziłem zawartość portfela.

– No tak. To by było tyle. Przykro mi to mówić, drogie panie, ale zdaje się, że jestem spłukany. A tak chciałem, abyśmy dziś tu wspólnie, nawet z tym w kiblu, a więc razem utopili wszystkie nasze zmartwienia, udręki i znoje dnia codziennego. Trudno. Nic to. Mogliśmy skończyć gorzej, dajmy na to na jakimś cholernym polu rzepy, ryjąc motyką skibę. Cóż. Bywa.

Dziewczyny zaczęły między sobą szeptać, a ja tęsknym wzrokiem wpatrywałem się w rzędy flaszek po drugiej stronie baru.

– W sumie – zaczęła ta fajniejsza, brunetka – w sumie to można by jeszcze spróbować znaleźć tego, jak pan na Dużego Romana mówił? Nieswój?

– Niestrój. Tak się nazywa. Duży… Roman?

– Tak się kazał nazywać – wyjaśniła. – „Jestem Duży Roman i zaraz będę was dupczył, że aż tyłkami sfrezujecie parkiet w salonie i przedpokoju". – Podciągnęła brodę do szyi i mówiła grubszym, udawanym głosem, przewracając oczami. – „Będę was dupczył tak, że nie będziecie mogły usiąść przez tydzień. Tylko najpierw proszę ubrać się w kostiumy. Jestem Duży Roman, a to jest Wielki Roman. Proszę się z nim przywitać". Tak mówił. Potem kazał się nam przebierać. Dawał nam kostiumy kowbojskie…

– Albo mundurki szkolne… – wtrąciła blondyna.

– Tak jest, albo mundurki. Potem kazał nam śpiewać kretyńskie piosenki. I dopiero potem zabierał się do roboty. Ale najmocniejszy to był w gębie.

– I dawał duże napiwki.

– Więc może by go znaleźć, co pan na to? On nam wisi kasę za stracony czas…

– Zresztą, możemy się jeszcze przebrać w mundurki – znów wtrąciła blondyna.

– Jasne. A panu też chyba zależy na tym, żeby go znaleźć, nie?

– Bezspornie. Tylko jak?

– No bo on ma jeszcze taką drugą miejscówkę, oprócz tego domku na działce. Jak ja nie lubiłam tu przyjeżdżać…

– Drugą, mówi pani? No to zmieniamy lokal, drogie panie! Gdzie to jest? Pamiętacie?

Po krótkiej kłótni uzgodniły mniej więcej lokalizację; z komórki wykonałem jeszcze jeden krótki telefon, a kiedy skończyłem, zjawił się, poprawiając pasek w spodniach, nasz kierowca. Przyzezował na nas, stojących już przed barem. Słysząc o pomyśle, wzruszył ramionami, ale wyraźnie się ożywił na wzmiankę, że jednak będzie dziś przychód. Wychodząc, pożyczyłem jeszcze pod zastaw dowodu osobistego stówę od barmana, za którą to sumę zakupiłem pełną do połowy flaszkę ballantine'sa, którą dopełniłem wodą;

i tak wyposażony, w towarzystwie dwóch prostytutek i surykatki opuściłem miły lokal, wsiedliśmy do audi A4 i ruszyliśmy z kopyta. Popiłem na dobry początek. Na cóż mi, kurwa, dowód, skoro czeka noc, miasto, życie?

– Na Białogród! – darłem się w ciemność otwartego okna, a wiatr wdzierał się do środka.

– Na co?

– Pani najwyraźniej nie czytała Jarosława Haszka. Proszę wstąpić kiedyś z koleżanką, to pożyczę. – Cały byłem serdecznością.

Mknęliśmy przez opustoszałe miasto, przez deszcz. Oprócz latarni i nielicznych, pobladłych poświat w mijanych oknach panowały ciemności godne Hadesu. Wiatr i strugi deszczu chlastały mi twarz, więc, żeby nie nabawić się gruźlicy, popijałem solidnie. Na szczęście i kierowca odmawiał, i panienki nie miały ochoty, gdy proponowałem łyczka. Nie wiem, co było tego powodem: etyka zawodowa czy woda zamiast tego karmelowego syfu. Nie byłem zainteresowany…

Jechaliśmy. I jechaliśmy. Jechaliśmy przez szerokie ulice, mijając mury po drugiej stronie niknące w strugach i w mroku, a potem nagle wjechaliśmy w labirynt wąskich jak wąwozy uliczek Kazimierza; światła, knajpy, bary. Za szybami ludzie, tłumy ludzi pijących, gadających, rechoczących, cały ten przedkopulacyjny rytuał. Wyglądali jak rybki w akwariach karmione z góry, a my toczyliśmy się tamtymi wąskimi niczym rynsztoki uliczkami. Popijałem sobie jak w kinie, obserwując to wszystko, samochody i ludzi, ludzi i bezlistne, niby martwe drzewa. Najbardziej podobały mi się drzewa.

Samochód zatrzymał się nagle; wysiedliśmy wszyscy i oni wbiegli do bramy. Ja poszedłem spokojnym krokiem profesjonalisty. Byliśmy na miejscu.

– Jesteśmy na miejscu – oznajmiła Basia (po drodze wypiliśmy bruderszaft; znaczy one się przedstawiły, ja wypiłem).

– Doskonale. To jak, drogie panie, tak jak ustaliliśmy w wozie?

Skinęły głowami i zniknęły w ciemności bramy. Wypłosz – jak się okazało – nosił szlachetne imię Jerzego. Jemu nie bardzo się podobał cały koncept. Ale obietnica dodatkowego zarobku przechylała szalę na moją korzyść.

– Poza tym w każdej chwili możesz wejść tam na górę i wybić mu parę zębów, czy co. Nie odfrunie przecież, a to jedyne wyjście, o ile się nie mylę.

Kiwnął głową.

– No to siądź w wozie i obserwuj perymetr, człowieku. Już ja zadbam o napiwek.

– Tylko co będzie po wszystkim? Przecież on już nie zamówi więcej żadnych dziewczynek. A my musimy myśleć przyszłościowo!

„Proszę, proszę – pomyślałem – surykatka niepokoi się o jutro. Popiłem porządnie łyskaczem z wodą i czułem, jak każda pojedyncza kropla padająca na moją skórę paruje w tej samej sekundzie, jak gdyby siła alkoholu promieniowała z każdego centymetra mojego ciała. Teraz deszcz i ziąb, mrok i smagający nas wiatr stawały się żartem, igraszką, a ja sam pośród tych wszystkich żywiołów trwałem niczym skała, niczym niewzruszone drzewo na pieprzonej skale. Popiłem jeszcze. Nie wiem, jakim byłem drzewem. Czułem się jak sosna.

– Człowieku, popęd to nie rozwolnienie! Masz go cały czas, na okrągło!

– A jak mu się stanie krzywda?

– Chryste, jesteś alfonsem czy siosrą miłosierdzia? Siadaj do samochodu i nic się nie martw.

Markotnie, ale jednak wrócił do wozu. Siła mojej argumentacji była miażdżąca. Łyknąłem jeszcze odrobinę, ale nie było czasu na delektowanie się bukietem, bo w tej samej chwili podjechała taryfa, zwolniła, ja pomachałem, taryfa stanęła, a po chwili wysiadła postać, za nią druga, po czym obie podbiegły do bramy, przed którą stałem, zasłaniając głowy połami swych płaszczy.

– Panie Keller, jest pan pewny, że to mój mąż? – pani Niestrój była wyraźnie podekscytowana. Spiorunowała wzrokiem flaszkę w moim ręku, więc zakręciłem ją i schowałem do kieszeni na potem.

– Jak babcię kocham. Stałem przed nim jak tu przed panią stoję. Potem dał mi w łeb i zbiegł. Ale nie po to jestem prywatnym detektywem, żeby robić wrażenie na studentkach. Więc gdy tylko doszedłem do siebie, to znalazłem mężulka. Na bank to on. Proszę rzucić okiem na to – stwierdziłem i wyjąwszy z portfela złożoną kartkę, triumfalnym gestem pokazałem im wydruk, który wziąłem z klubu AA.

– Nieswój? – stwierdziła, przeczytawszy. – Nieswój? To się wysilił... no i ten wąs... ale tak, to on. Na śmierć zapomniałam o tych mityngach. Jak pan...

– Jestem najlepszym detektywem w mieście. To było tak banalne, że aż szkoda o tym wspominać.

– O ile mam rozumieć, to w tejże kamienicy jeszcze pan nie widział pana Niestroja? Czy się mylę? – wtrącił jej towarzysz, mojego wzrostu, ale o dość tępym wyrazie twarzy. Prawnik albo prezenter telewizyjny. Tego typu skojarzenia się nasuwały. Wyglądał jak nieco opóźniony Krzysztof Ibisz. Nad uszami i na czubku głowy sterczały mu idiotyczne kępki włosów, które deszcz smagał kolejnymi falami.

– Kolega? – spytałem pani Niestrój, kiwając głową w jego kierunku.

– To mój prawnik, mecenas Gondol. Potrzebny będzie świadek. Tak powiedział pan mecenas.

– Skoro pan mecenas tak powiedział – odparłem. – Ruszajmy.

Weszliśmy w bramę, a potem klatką schodową na górę. Jechało moczem i wiekowymi murami. Schody trzeszczały, a przydymione światło żarówek prześlizgiwało się po naszych sylwetkach. Lokal był – jakżeby inaczej – na najwyższym piętrze. Po chwili przeznaczonej na nabranie oddechu stanąłem przed właściwymi drzwiami. W środku słychać było przytłumione głosy i nieokreślone bliżej dźwięki.

– Dobra – powiedziałem. – Ja pierwszy. Potem pani. Pan mecenas ubezpiecza tyły. Najważniejsze, to zachować spokój. Jakby co, zwiewamy tą samą drogą.

Nacisnąłem klamkę – było otwarte. Wszedłem do nieoświetlonego przedpokoju, a oni za mną. Za drzwiami w głębi słychać było odgłosy ożywionej rozmowy i śmiech. „Dobra, Keller – pomyślałem. – Zrób to jak trzeba. Jakby co, to przywal mu prosto w wątrobę". Ruszyliśmy cicho niczym myszki, a potem – w chwili, gdy adrenalina po raz kolejny tego dnia, a raczej wieczoru, obficie oblała mi wątrobę, trzustkę, kark i wszelkie możliwe członki – pchnąłem drzwi i wpadłem do środka.

W pokoju pełno było dymu papierosowego, który wisiał w powietrzu jak mgła. Z telewizora na szafce przy ścianie darła ryja jakaś – zapewne – aktualna gwiazda polskich scen. Przy drzwiach balkonowych, po drugiej stronie pomieszczenia, stał stół z flaszkami i żarciem, talerze, miski i porozrywane torebki, a po prawej stronie była wielka kanapa. Na kanapie siedział Niestrój ubrany jedynie w gatki. W lewej ręce trzymał flaszkę wina, a prawą wznosił nad głową, w zamarłym geście jak do solidnego klapsa. Klaps był przeznaczony dla pośladków jednej z kurew, a dokładnie Asi, która leżała z dupą na jego kolanach. Basia, podobnie jak jej koleżanka w samych tylko stringach, trzymając swoją flaszkę wina, najwyraźniej próbowała wśród tego wszystkiego tańczyć. Byłem z nich bardzo dumny. Widok przywodził na myśl paryski burdel z przełomu poprzednich wieków. Wyjąwszy oczywiście absynt, obecność gruźliczych malarzy i kiłę. No i zamiast, dajmy na to, Coco i Pipi, mieliśmy do dyspozycji swojskie Aśkę i Baśkę.

Niestrój wyglądał jak nastolatek przyłapany przez matkę na masturbacji. Otworzył usta, jakby chciał coś powiedzieć, ale nie zdążył ani pisnąć, kiedy jego małżonka, wychynąwszy z wrzaskiem wściekłości na ustach zza moich pleców, w pięknym dwutakcie przypadła w pobliże kanapy i z całej siły zamachnęła się nań torebką. Byłaby mu przywaliła prosto w nos, ale zasłonił się ręką z winem; szkło pękło, czerwień zalała Niestroja, dupę Asi i na dokładkę kanapę. Ale to była tylko przygrywka, żonka dopiero się rozgrzewała. Torebka to wznosiła się, to opadała, wśród wrzasków i przekleństw, wśród złorzeczeń i pisków, głuchych uderzeń i skrzypnięć, kiedy oszukana małżonka z impetem wdarła się na kanapę i wpadła w szał. Darła się przy tym tak, że tynk niemal się sypał z sufitu.

– TY SKURWYSYNU! TY SKURWYSYNU TY! To ja ci świeczki palę, a ty sobie tu kurwy sprowadzasz? Tak?! Umarł... Umarł... Nie żyje... JUŻ JA CIĘ, KURWA, UŚMIERCĘ!!! – wrzeszczała, wciąż i wciąż okładając go torebką, pięściami, kolanami. Bogu ducha winna Asia wypełzła jakimś sposobem spod tej małżeńskiej sprzeczki i oddalała się na czworakach, najwyraźniej oszołomiona. Niestrój, cały w winie, dosłownie i w przenośni, leżał na wznak, niezdarnie zasłaniając się rękami. A nad nim, jak wcielenie vendetty, jak bogini zemsty, z pianą w kącikach ust i kusząco podkasanymi płaszczem oraz spódnicą, tak, że mogliśmy z mecenasem podziwiać jakże silne uda, szalała pani Niestrój. Pięknie wyglądała w tym swoim szale. Jej nogi też wyglądały pięknie. A że nie tylko potrafią wyglądać, przekonał się o tym sam małżonek, a raczej jego klejnoty rodowe. O ile torebka była raczej nieszkodliwa, o tyle kopnięcie (kolanem to też chyba kopniak, co nie?) kolanem wprost między nogi pozbawiło go zmysłów. Potem nagle pozieleniał na twarzy, wytoczył się spod tej ucieleśnionej furii i zastygł na podłodze. Piszczał cichutko i kiwał głową, jakby zgadzając się na coś. Pani Niestrój tymczasem siadła na kanapie, najwyraźniej, aby uspokoić oddech.

– Skurwysyn! – powiedziała jeszcze raz, po czym na chwilę zaprzestała jakichkolwiek działań.

– Ładnie, co nie? – spytała Basia, częstując mnie winkiem. Popiłem, było chłodne, cierpkie i z powodzeniem zmywało znużenie, które wkradało się niepostrzeżenie w moje członki.

– Bardzo ładnie. Prawda, mecenasie?

Mecenas nic nie powiedział, patrzył jedynie na półnagą prostytutkę i przełykał ślinę. „Cóż – pomyślałem – pewnie od dawna nie widział gołego cycka, nie mówiąc już o czterech". Wtedy zza kanapy wybiegł mały piesek, jamnik. Powąchał najpierw Niestroja trzymającego się za jaja, potem Asię, potem Basię, by następnie, przez cały czas radośnie merdając ogonem, przysiąść przede mną i zszokowanym mecenasem. Patrzył na nas swoimi czarnymi ślepkami.

– Człowieku, co ty masz z tymi psami? Co one ci zawiniły? Trzymasz je w tych swoich spelunach i każesz uczestniczyć w orgiach, czy co? – Niestrój poprzez mgłę bólu podniósł wzrok i popatrzył na mnie z wyrzutem. – Powiem ci więcej, koleś; zaraz po nas dobierze ci się do dupy Towarzystwo Opieki nad Zwierzętami. Będziesz żałował, że cię naprawdę nie pochowali – powiedziałem. Może odrobinę przesadzałem, ale przez niego miałem ostatnio nerwy jak postronki. – Prawda, mecenasie?

Mecenas znów nic nie odpowiedział, cały czas patrzył na wdzięki dziewczyn. Ponownie wziąłem flaszkę od Basi i znów popiłem. Nie powiem, żeby zaczynało mi się to wszystko podobać, ale przynajmniej było mi odrobinę lżej na duszy. Nie bardzo wiedziałem, do kogo należał następny krok, nie wiedziałem, co teraz należało uczynić. No to popiłem znowu. To zawsze pomaga. A przynajmniej nie przeszkadza.

Staliśmy wszyscy, oprócz leżących i siedzących, ma się rozumieć, aż w końcu pani Niestrój wzięła nasz wspólny los w swoje ręce i akcja zaczęła się toczyć.

– Dobrze, kochanie – powiedziała słodko, jak tylko kobiety potrafią, kiedy już opanują nerwy i emocje, i kiedy znów wszystko mają pod kontrolą swoich umysłów i ciał. – To jest pan mecenas Gondol. Mój prawnik. On ci powie, co i jak. Nie, nie odzywaj się teraz. – I wystarczyło, że spojrzała na niego, kiedy ten chciał coś powiedzieć, z winem spływającym po policzkach i z włosów. – Nie odzywaj się już nigdy. To ja będę mówić. To ja już zawsze będę mówić.

Potem wstała, podeszła do mnie i wyjąwszy mi butelkę wina z ręki, sama pociągnęła tęgi łyk. Pociągnęła jeszcze jeden i znów, na chwilę zamieniła się w furiatkę, podskoczyła, kopnęła go w dupę i wydarła się:

– I WIESZ CO, CHŁYSTKU? Śmiałeś się pewnie przez cały ten czas, że ja tu cię opłakuję i że cię wspominam, a ty rżniesz panienki i nieźle się bawisz! No to wiedz, że teraz ja się będę dobrze bawić, a nawet rżnąć z pierwszym lepszym, który się nawinie! Tak jest, bo mnie stać! A TY ZE SWOJĄ MAMUSIĄ MACIE PRZESRANE JAK W RUSKIM CZOŁGU! – Po czym jeszcze raz go kopnęła i odwróciła się do nas. Nie bardzo wiedziałem, czy uciekać, czy co, ale zanim na cokolwiek się zdecydowałem, ponownie zwróciła się do Niestroja.

– Teraz pójdę z tym tu i będę się z nim pierdolić do samego rana. A od rana już się postaram, żebyś został w samych skarpetkach, mój drogi!

No i cóż, bywają również dobre chwile w życiu prywatnego detektywa, kiedy karma łaskawszym okiem spogląda na swojego podopiecznego i kiedy świat zdejmuje ci na chwilę topór z gardła. Pani Niestrój podeszła do nas i powiedziała głośno i wyraźnie:

– O właśnie z tym pójdę do łóżka, z tym żałosnym łapsem. Żebyś tym bardziej czuł się jak ostatni kutafon na tej ziemi, kochanie!

Po czym wzięła mnie za rękę i powiodła po schodach. Byłem nieco skołowany, ale zdołałem jeszcze na chwilę powrócić do obowiązków zawodowych. Zamieniłem dwa słowa z mecenasem, po czym zeszliśmy na dół. Moja towarzyszka, wyszedłszy na ziąb i wilgoć, ochłonęła nieco i już bałem się, że nici z aktu miłosnego. Na szczęście zamówiła taryfę, a ja przeprosiłem ją niechętnie na moment i podszedłem do stojącego po drugiej stronie audi. Kierowca otworzył szybę, a ja wręczyłem mu pieniądze od mecenasa. Sam mecenas zjawił się niemal w tym samym momencie, kępki włosów jeszcze bardziej sterczały mu zza uszu. Był czerwony na twarzy i wyraźnie podekscytowany. Tuż za nim z bramy wyłoniły się dwie panienki, znów opatulone w płaszcze. Mecenas kiwnął nam głową i razem z dziewczynkami wsiadł do ich samochodu. Ruszyli z kopyta i tyle ich widzieliśmy. Przynajmniej on mógł zaliczyć ten wieczór do udanych.

Wróciłem, a ona tam wciąż stała i patrzyła na mnie krytycznie.

– Ależ z ciebie detektyw, pożal się Boże.

– Najlepszy w mieście – odparłem. „Bo jedyny" – pomyślałem.

Pojechaliśmy do mnie, bo, jak stwierdziła: „Jeszcze nas jej sąsiedzi razem zobaczą i będzie wstyd". Nie skomentowałem tej, jakże krzywdzącej, aluzji. Na miejscu surowym wzrokiem obrzuciła panujący u mnie nieład. Na swoje usprawiedliwienie miałem to, że nie było tu kobiety od jakichś stu lat.

– Masz coś do picia? – spytała, sadzając śliczny tyłek na kanapie.

– A czy Piłsudski miał wąsy?

Przyrządziłem dwie whisky z wodą i stuknęliśmy się szklankami.

– Zaraz, zaraz – powiedziałem. – Jak to było? Sama w ogóle nie sięgam po alkohol?

– Nie bądź złośliwy. Bywają takie chwile, kiedy trzeba się napić.

– Święta racja. Zdrówko.

– Zdrowie.

Nie bardzo wiedziałem, dlaczego tu siedziała, dlaczego ja tam siedziałem, i co to wszystko znaczyło. Nie, żebym zamierzał się nad tym dłużej zastanawiać. Mądrzejsi ode mnie, wobec takiego rozwoju wypadków, byliby bezradni niczym muchy w pajęczej sieci. „Pieprzyć" – pomyślałem, a dwoistość mych przemyśleń nie po raz pierwszy mnie zaskoczyła. Dopiłem whisky, ona też dopiła, po czym bez zbędnych ceregieli przenieśliśmy się do sypialni i zdarłszy z siebie odzienie, zabraliśmy się do roboty.

Była żwawa i pomysłowa, rozpalona i głośna, i pachniała jak bułka maślana. No i miała tę wspaniałą dupę, jędrne cyce i świadomość swego posągowego ciała, które już wyrosło z nastoletniości, ale wciąż nie wkroczyło w wiek zwany średnim. Momentami aż głupio mi się robiło na myśl, co taka wspaniała dupa robi z takim zerem jak ja, ale nie było czasu na głębsze rozważania, bo zaraz ogłaszała rozpoczęcie kolejnej rundy. Ostatni raz tak się wyczerpałem, kiedy w dziewięćdziesiątym szóstym pojechałem na rowerze do Myślenic. Pod koniec dystansu zresztą, podobnie jak te paręnaście lat temu, organizm zaprotestował gwałtownie. Paraliżujący ból wkłuł mi się między żebra. Ostatkiem sił, poganiany wbijającymi się we mnie niczym sztylety paznokciami, pomogłem mojej towarzyszce w dotarciu tam, gdzie tak usilnie zmierzała.

– Cieszę się, że doszłaś, bo ból był nie do zniesienia. To kolka – stwierdziłem.

Jak już wyczerpaliśmy ostatnie pokłady energii i zdołałem złapać głębszy oddech, zrobiłem nam po podwójnej lufie ballantine'sa z wodą i po kilku łykach ogarnęła mnie ciemność.

Było po ósmej, kiedy mnie obudziła, potrząsając za ramię.

– Chryste... Spieszy ci się gdzieś? – wychrypiałem, bo stała nade mną ubrana i, najwyraźniej, gotowa do wyjścia.

– Będziesz dzisiaj po południu w swoim biurze?

– Detektyw bez biura to jak Piłsudski bez swej wiernej Kasztanki.

– Przestań pieprzyć. Co ty z tym Piłsudskim?

– À propos pieprzenia, może tak zrzucisz te płaszcze i kimniesz się jeszcze parę godzin, co? Słabo mi się robi na myśl o wstawaniu o tej godzinie... Nienajlepiej się czuję...

– Normalni ludzie tak wstają.

– Ach tak. Normalni.

– Będziesz czy nie?

– Oczywiście, że powinienem być – odparłem. Czułem suchość w gębie, w gardle, nawet w okrężnicy. Podniosłem się i, oparłszy o ścianę, wypiłem kilka łyków wygazowanego piwa, które przytomnie otworzyłem w ostatnim świadomym czynie przed snem. Było całkiem niezłe. Popiłem. – Będę, chyba że trafi się jakaś sprawa niecierpiąca zwłoki. Morderstwo, przemyt imigrantów, handel bronią.

– Obrzydliwe... – stwierdziła. – Jak to możesz pić?

Przechyliłem flaszkę.

– Prawo ciążenia. To jak, skusisz się na śniadanie? Tylko trzeba się przespać tak ze trzy godzinki, o tej porze jedzenie jest niezdrowe.

– Jezu... Co ja tu robię? – powiedziała. Nie bardzo wiedziałem, czy do siebie, czy do mnie. Czułem, że to koniec dnia. Spojrzała na mnie dość krytycznie, obrzuciła wzrokiem sypialnię i dodała:

– W świetle dziennym to jednak nora.

– Hej, nie możesz być miła do końca?

– Chyba byłam w szoku. Tak jest, to był szok. Cóż, czas na mnie.

– No to szerokiej drogi – odparłem, nieco urażony. Nora czy nie, człowiek powinien być taktowny.

– Wpadnę dziś koło czwartej lub piątej. Do biura, oczywiście.

Zamiast odpowiedzi przechyliłem butelkę, pociągając sprawiedliwie.

– To cześć. – Poszła. Trzaśnięcie drzwiami, kroki milknące na korytarzu.

„Te baby to jednak są – pomyślałem. – Wynająć, wykorzystać i porzucić". No, nie to, żebym miał nadzieję na coś więcej. To naprawdę była nora. Ale czułem, że ktoś tu kogoś wydymał, a ja niekoniecznie byłem stroną aktywną. Popiłem, odstawiłem flaszkę na stolik, naciągnąłem kołdrę pod nos i wpatrywałem się w sufit, jakby w czymś mógł mi ulżyć.

Wstałem przed jedenastą, wziąłem prysznic i zjadłem dwa jajka na miękko. Za oknem oczywiście lało.

Bolała mnie głowa, więc strzeliłem sobie alka seltzer i położyłem się na kanapie przed telewizorem. Biuro mogło zaczekać. Na kanale informacyjnym najpierw mówili o trzęsieniu ziemi w Chile, a potem pani z zaczesanymi włosami do tyłu i wzrokiem członka plutonu egzekucyjnego przeszła do informacji krajowych.

„Jak informowaliśmy w poprzednim wydaniu informacji, zatrzymano podejrzanego o popełnienie trzech morderstw, domniemanego Rzeźnika z Krowodrzy. „Trzech? – pomyślałem. – Cóż, szaleńcy pewnie wstają o świcie…". Jak również informowaliśmy, że trzecią ofiarę, Bożenę K., znaleziono wczoraj, w godzinach wieczornych, w śmietnikach przy ulicy Reymonta, Czarnowiejskiej oraz Piastowskiej. Dzisiaj, we wczesnych godzinach porannych, patrol policji zatrzymał na terenie miasteczka studenckiego podejrzanie zachowującego się mężczyznę. Mężczyzna kulał. Twierdził, że jest policjantem w stopniu starszego sierżanta. Nie posiadał dokumentów. Twierdził, że nie pamięta dokładnie, w jaki sposób je stracił, ale prawdopodobnie portfel musiała mu ukraść prostytutka. Na pytania policjantów, co mu się stało w nogę, odpowiedział, że pogryzł go pies. Widoczne podrapania i rany stróże prawa określili jako powierzchowne, prawdopodobnie zadane narzędziem podobnym do widelca, aby zapewnić sobie wiarygodne wytłumaczenie utykania. Podejrzany został zatrzymany do wyjaśnienia. Jak twierdzi policja, jeszcze za wcześnie na potwierdzenie, czy mężczyzna jest poszukiwanym mordercą. Rzecznik policji Zdzisław

Najmrodzki powiedział, że szybkie odnalezienie ciała ostatniej ofiary Rzeźnika daje nadzieję na zbadanie niezatartych śladów, które mógł zostawić morderca, i które pozwolą go zidentyfikować. Czy obywatele naszego miasta będą mogli odetchnąć wreszcie z ulgą?

Przechodzimy do kolejnych informacji. Opady w Małopolsce utrzymują się wciąż na wysokim poziomie. Stany alarmowe ogłoszono na rzekach Rabie, Sole i Wiśle...".

„No to nasz sierżant Marszałek wpadł w szambo – pomyślałem. – Trudno, tak to bywa, gdy człowiek zanurza się w krakowski półświatek. Takie doświadczenie może być mu zresztą bardzo pomocne w dalszej karierze. Stanie się dobrym gliną. Twardym gliną. No, chyba że będzie miał pecha i go skażą. Ja tam nie zamierzałem się zgłaszać na świadka jego niewinności. Nie zdążyłbym powiedzieć słowa, a zaraz by mnie wsadzili. A tak, mogę spokojnie szukać tego całego Rzeźnika. Już ja cię, bratku, dorwę. Nie wiem, jak i gdzie, ale cię dorwę. A potem starszy sierżant Marszałek będzie mi musiał stawiać wódę do końca roku. Przyszłego, bo w końcu to już listopad".

Reperowałem jeszcze siły w pozycji horyzontalnej przez jakąś godzinkę, po czym stwierdziłem, że jestem gotowy do stawienia czoła światu i temu, co ma do zaoferowania. Zrobiłem sobie kawę i pootwierałem okna, aby wpuścić nieco świeżego powietrza. Non stop lało. To było jak jakiś cholerny potop. Ktoś tam w górze widać miał już nas serdecznie dosyć i postanowił nas potopić. Cóż, w końcu od samego początku to była oszukańcza gra, w rozdaniu której wszyscy dostaliśmy same blotki.

Odetchnąłem wilgotnym krakowskim powietrzem, w którym dawało się wyczuć różne rodzaje spalin. Z wysokości trzeciego piętra ogarnąłem wzrokiem najbliższe sąsiedztwo. Już chciałem zamykać, gdy po drugiej stronie rzędu garaży, tuż przy stojącym przy krawężniku sznurze samochodów, zauważyłem postać w kurtce przeciwdeszczowej, która majstrowała coś przy drzwiach jednego z aut. Odezwał się we mnie instynkt zawodowy, wzmocniony przez lokalny patriotyzm. Przez chwilę obserwowałem gościa, a kiedy już nabrałem pewności, że skurwiel próbuje się włamać, skoczyłem do szafki w przedpokoju i przyniosłem wiatrówkę. Naładowałem, przymierzyłem i nacisnąłem spust. Pierwszym śrutem od razu trafiłem go prosto w dupę. Zawył tak, że połowa psów w bloku odpowiedziała mu tym samym. Chwycił się za tyłek i, podskakując dziwacznie, zniknął mi z pola widzenia. Zapaliłem papierosa i zlustrowałem okolicę w poszukiwaniu kolejnego celu, ale nie było ochotników. Zamknąłem okno, dokończyłem kawę, schowałem wiatrówkę, ubrałem się i wyszedłem. Instynkt obrońcy własnego terytorium odzywa się u mnie w najmniej oczekiwanych momentach. Tak jest. Inne z moich upodobań to oddawanie moczu pod prysznicem.

Znów siedziałem w biurze i myślałem o pani Niestrój. Były to myśli z gatunku ponurych. Każda kobieta potrafi wpędzić mężczyznę w najczarniejszą depresję, nawet wtedy, a może zwłaszcza wtedy, gdy, jak to powiedział pewien poeta, dała mu to, co miała najcenniejszego. „Czym ty się przejmujesz? – myślałem. – Tym, że fajna dupencja trafia ci się z częstotliwością igrzysk olimpijskich? Keller, jesteś najżałośniejszym kutafonem w powiecie. A może nawet w województwie. Tak jest. Zapomnij o niej, a jak ci dzisiaj przyniesie pieniądze, idź do jakiegoś miłego lokalu z paniami tańczącymi na rurze, to zaraz wyleci ci z głowy. A potem urżnij się tak, żebyś zapomniał o całej tej cholernej sprawie. O wszystkich rzeźnikach, zdradzanych małżonkach i o sobie też. Tak jest. To jest dobry plan. Trzeba go oblać".

Sięgałem właśnie do szafki przy biurku, gdy otworzyły się drzwi i wszedł nie kto inny, jak Kowalski cały ociekający wodą, ze zmierzwionymi włosami z boków głowy, których mokre kosmyki lepiły mu się do skroni. Uszy płonęły mu czerwienią, a przekrzywione okulary nadawały mu – jakby całokształt nie wystarczył – wygląd szaleńca. Zez mu się pogłębił i facet wwiercał we mnie jedno oko. Czułem, kurwa, czułem, że ten dzień będzie należał do kategorii kloacznych. Siedziałem niby nic, a prawą ręką powoli otworzyłem szufladę pod biurkiem.

– No co tam, panie Kowalski? – rzuciłem wesoło. – Jak terapia? Wysypka minęła?

– Keller – warknął. Stał na środku pokoju w powiększającej się kałuży. – Keller…

– Wygląda pan kwitnąco w każdym razie.

– Keller…

– To już ustaliliśmy.

– Przyszedłem po zdjęcia. – Nie mówił, tylko warczał. – Muszę mieć te zdjęcia. Muszę. Rozumiesz? ROZUMIESZ? – krzyknął tak, że aż resztki posiadanych włosów odlepiły mu się od czaszki i stanęły dęba. Ogień z uszu spłynął na całe oblicze. Zaczął iść w moim kierunku. – Muszę dostać te zdjęcia. Muszę mieć dowód... Co mi po słowie takiego łapsa... Muszę mieć dowód, rozumiesz? ROZUMIESZ? Trzeba zrobić to tak, jak trzeba, od początku do końca, od samego początku do końca... – Stanął przed biurkiem i oparł się wielkimi łapskami o blat. Woda spływała rękawami kurtki na dłonie i na jasne drewno wokół nich. Oczy, a przynajmniej to jedno, które spoglądało na mnie, miał pocięte siecią żyłek. Widać było w nim szaleństwo. – Trzeba to zrobić tak, jak trzeba, jak trzeba – powtarzał, a w kącikach ust zebrała mu się ślina. – Daj mi te zdjęcia. Daj mi zdjęcia. Muszę je mieć. Daj mi je. – Po czym prawą ręką złapał mnie za koszulę i przyciągnął do siebie tak, że nasze twarze zbliżyły się do siebie na odległość oddechu. Poczułem cebulę i przetrawiony alkohol.

– Oczywiście. Zdjęcia. Bezzwłocznie – powiedziałem i zdzieliłem go krótką, obszytą skórą pałką przez łokieć. Zawył, ale nie puścił, jedynie odrzuciło go do tyłu, więc sam zawisłem w powietrzu, nad biurkiem. Uderzyłem jeszcze raz, tym razem w miejsce, gdzie bark łączy się z szyją. Tym razem dłoń mu zwiotczała i rozluźnił chwyt na tyle, że zdołałem się oswobodzić. Trzymał się za łokieć i wściekle przewiercał mnie wzrokiem. Ślina pociekła mu po brodzie.

– Ty... Ty... – warczał. Postąpił dwa kroki do tyłu, potem jeden do przodu. Nie wiedział biedak, co ze sobą zrobić. Trzeba mu było pomóc.

Ruszyłem wokół stołu, trzymając pałkę w zgiętej ręce, nieco z tyłu. Patrzyłem mu w oczy, ale starałem się kątem oka śledzić te wielkie łapska. W końcu przed chwilą chwycił mnie jedną ręką tak, że niemal ściągnął mi koszulę z grzbietu razem z portkami. Stanąłem przed nim ze dwa kroki i zamachałem w powietrzu pałką.

– Fajna, nie?

– Ty...

„Jacy wy wszyscy jesteście nudni" – pomyślałem. A ten tu jeszcze mi zmoczył podłogę.

– Czas na pana, panie Kowalski. Niech pan pozdrowi małżonkę. I panią Basię – powiedziałem i zamachnąwszy się mocniej, postąpiłem w jego kierunku. Odskoczył, otarł twarz dłonią i wycofał się ku drzwiom. Na odchodne odwrócił się jeszcze.

– Keller, ja ciebie... Załatwię!

– WYPIERDALAJ! – wydarłem się, bo miałem już serdecznie dość tej sceny. Cóż za żałosna kreatura. Usiadłem z powrotem w fotelu i przygotowałem sobie porządnego drinka z dyżurnej flaszki whisky.

Właśnie zbliżałem usta do brzegu pucharu, kiedy drzwi otworzyły się gwałtownie. Aż się zachłysnąłem, wylewając połowę płynu na i tak już sfatygowaną koszulę. Chwyciłem pałkę, gotów do straszliwej zemsty za taki akt marnotrawstwa, ale zamiast tamtego mastodonta stała przede mną pani Niestrój. „Ruch jak na dożynkach w Miechowie" – pomyślałem. Schowałem broń i przetarłem koszulę. Pani Niestrój podbiegła do biurka w pół sekundy. „No, no – pomyślałem – ależ się baba stęskniła. Pół dnia nie mogła wytrzymać". Ale w jej spojrzeniu próżno było szukać chuci. Wręcz przeciwnie, wyglądała na nieźle przestraszoną.

– Filip... Ten gość, który wychodził z klatki... Ten łysy, w okularach... Z wielkimi łapskami... Widziałeś go? – Usta jej drżały, brwi jej drżały, dłonie jej drżały. Co jej nie drżało? Sam drżałem z ciekawości.

– Ten zezowaty troll z czerwonymi uszami?

– Ten sam...

– Taa. To mój klient. Były – uściśliłem. – Prosta sprawa. Ale obraziliśmy się na siebie. Tak bywa w tym fachu.

Zamierzałem jeszcze powiedzieć, że mam nadzieję, że my się na siebie nie obrazimy, ale zbladła jeszcze bardziej (choć od chwili wejścia była już trupio blada) i zachwiała się w lewo, prawo i do tyłu. Jeszcze brakowało mi tu nieprzytomnej kobity, więc czym prędzej wyskoczyłem z bloków startowych, obleciałem biurko i chwyciłem ją, gdy leciała właśnie na spotkanie z podłogą. Przeniosłem ją na fotel i przygotowałem porządnego drinka, pół na pół, whisky z wodą. Wyglądała niewyraźnie. Bardzo niewyraźnie. Upiłem nieco i dolałem alkoholu. Zmusiłem ją, żeby wypiła kilka łyków. Zaniosła się kaszlem, ale kolory zaczęły wracać na policzki. Jako że sam też byłem nieźle roztrzęsiony, pociągnąłem nieco ze szklanki, po czym podsunąłem jej pod nos. Upiła jeszcze trochę i najwyraźniej wróciła do krainy żywych.

– Ten gość, to ten sam, o którym mówiłam policji. Ten sam! – chwyciła mnie za rękę i ścisnęła tak, że jeszcze się musiałem napić. – To ten skurwiel, z którym się umawiała ta biedna Agatka, moja przyjaciółka! A potem ją znaleźli w tych krzakach, pokrojoną! Kurwa, mówię ci, to ten sam koleś! – znowu zaczynała się podniecać, ale nie tym, co trzeba. Odrobinka lekarstwa dla niej, odrobina dla mnie.

– Że jak? Agatka? Kto to jest Agatka? – spytałem, bo nie bardzo potrafiłem nadążyć, śledząc ruchy cycków pod materiałem sweterka, który w ferworze reanimacji osunął się nieco w dół.

– Agatka! Moja koleżanka z jogi! A potem ją zamordowali! To ten cały Rzeźnik ją zamordował! I pokroił! To była jego pierwsza ofiara!

– Agatka? Agatka! No jasne! – Udałem zrozumienie, bo nie bardzo pamiętałem te fakty. Oczywiście, jak każdy seryjny morderca, nasz lokalny Rzeźnik również musiał gdzieś i kiedyś swoją serię rozpocząć, ale nie przychodziło mi na myśl nic konkretnego. „Pewnie miałeś kaca, Keller – pomyślałem. – Tak jest. Albo grypę".

– I wtedy policja wypytywała o wszystko, a ja im mówiłam przecież, mówiłam im, że poznała tamtego gościa i umówili się na mieście, ale nie chciała sama iść, więc poszłam z nią, a to był ten sam, tu go zobaczyłam na dole, to ten sam, a potem, tydzień potem ją znaleźli, znaczy, niecałą... – I znów zaczęła popadać w rozpacz, więc łyczek dla niej, łyczek dla mnie. Biedaczka, to wszystko nie było na jej nerwy. Najpierw małżonek udaje trupa, a potem koleżanka z jogi przerobiona na eskalopki. Sam miałem nerwy jak postronki. Łyknąłem dla uspokojenia. Na lica pani Niestrój znów zaczęło wracać życie. Oddychała głębiej, dekolt to podnosił się, to opadał. Zacząłem mieć nadzieję na kontynuację upojnej nocy. Ale gdzie tam. Było, minęło, zdawały się mówić jej cycki.

Z pomocą alkoholu doszła do siebie i znów zerwała się na nogi, wyskakując na środek pokoju.

– Dobra. Lecę na policję – stwierdziła, a w jej oczach był czysty zapał. – Albo lepiej chodźmy razem. No przecież, że razem! Musisz o wszystkim powiedzieć na policji! Co to za człowiek, gdzie mieszka! No, na co czekasz?!

Nawet w pierwszym odruchu chciałem tak postąpić, ale zaraz potem stanął mi przed oczami widok sierżanta Marszałka i zapał nieco mi się stępił. Taa. Zaczną dociekać... Wypytywać... Gubić się w domysłach... To ostatnie szczególnie... Kto pan jest? Skąd pan go zna? Zdjęcia? Jakie zdjęcia? Posiedzisz, to sobie przypomnisz... Kurwa mać. Zawsze ten pech. „Taki fach – powiedziałem sobie. – Keller, taki fach. Trzeba było zostać hodowcą drobiu albo pomywaczem".

– Oczywiście. Policja, obowiązkowo. Ale sam do nich pójdę – powiedziałem, starając się, aby mój głos brzmiał jak spiż. – Biorę to na siebie. Tak jest. Po co masz się w to wplątywać?

– No ale...

– To nie jest zabawa. Skoro to Rzeźnik, sprawa zaczyna się robić niebezpieczna. – Miażdżyłem ją argumentami. – Już ja go przyszpilę. Razem z policją. Ty się o nic nie martw.

– No ale to przecież Agatka...

– No jasne, że Agatka. Tak jest. Jakby co, zwrócimy się do ciebie po informacje. Tak jest. Wiem, gdzie cię znaleźć. O nic się nie martw – powtórzyłem.

Stała niezdecydowana, ale widocznie emanowałem profesjonalizmem. Kiwnęła głową, potem jeszcze raz, w końcu uśmiechnęła się półgębkiem i zebrała do wyjścia. W progu zawróciła, po czym wręczyła mi zwitek banknotów, wyciągnięty z torebki.

– Zapomniałabym. To za znalezienie mojego męża. Z premią.

– Jasne. A jak tam się miewa małżonek?

Zmełła przekleństwo w zębach i wyszła, tym razem na dobre. Ją przynajmniej miałem z głowy. Przeliczyłem pieniądze. Tysiąc, dwa, dwa i pół, dwa osiemset. Ostatni raz taką kasę widziałem, gdy płacił mi pewien majętny biznesmen, którego zlecenie dotyczyło śledzenia jego małżonki podczas turnusu na wczasach odchudzających w Busku-Zdroju. To była trudna sprawa. Całe piętro, albo i nawet pensjonat mocno otyłych pań po czterdziestce. Zabiegi pielęgnacyjne, masaże, ćwiczenia, baseny, okłady z błota, ruch na świeżym powietrzu. Sam musiałem udawać kuracjusza. Tak. A najgorsze były posiłki. Kiełki, rzeżucha, warzywka na parze, pół plasterka wędliny drobiowej, jogurt, a od wielkiego dzwonu pół wygotowanej, kurzej, atroficznej nogi. I ja wśród nich, na tej samej diecie, sam jak ten liliput wśród gigantów. No, w każdym razie w trakcie śledztwa, podczas wypatrywania potencjalnych i rzeczywistych kochasiów owej damy, odkryłem, iż zamiast użyczać swoich obfitych kształtów kelnerom i masażystom, nocami dokonywała czynów o niebo bardziej gorszących. Otóż, kiedy większość uczciwych kuracjuszy oddawała się marzeniom sennym, razem z innymi mocno puszystymi koleżankami w swoich nocnych koszulach wielkości niewielkich balonów meteorologicznych zbierały się w kuchni aby, przekupiwszy uprzednio kucharza pieniędzmi nieświadomych mężów, obżerać się do syta kluchami w sosie, rostbefami, stekami, gotowaną kapustą, golonkami świń, krów i wszelkich innych zwierząt jadalnych, frytkami, jajami na miękko, na twardo i w innych kombinacjach, nie wspominając o tortach, budyniach czekoladowych i solonych orzeszkach.

Biedny kolo. Jak już powiedziałem mu, że żona jest w stu procentach wierna, choć nieco przytyła, najpierw się załamał, potem wpadł w furię, wrzeszcząc, że wolałby, żeby się puściła z pierwszym lepszym, bo może spaliłaby parę kalorii. Potem wcisnął mi do ręki garść banknotów i oświadczył, że on już jej zrobi taką dietę, że za miesiąc będzie wyglądała jak wygłodzony Masaj. Tak się wyraził. Ani jego, ani jego szacownej małżonki więcej nie oglądałem.

Ale to były stare dzieje. Teraz została ostateczna rozgrywka z Rzeźnikiem. Dorwę gnoja, choćbym miał go gonić na bosaka po rżysku przy trzydziestostopniowym mrozie. Tak jest. Trzeba było brać się do opracowywania planu. Do splatania misternej sieci, w którą oprawca wpadnie bezradnie jak ciężkozbrojny wojownik von Jungingena w wilczy dół wykopany przez dzielnych wojów Jagiełły pod Grunwaldem, jak, kurwa, głucha, ociemniała mucha z jednym skrzydełkiem w pajęczynę czarnej wdowy. Otóż to. Zabieram się do roboty. Tylko najpierw się napiję.

Trzeci dzień jeździłem za Kowalskim. Siedziałem mu na ogonie. Przyczepiłem się jak rzep i ani myślałem odpuścić. Rano, kiedy jechał do roboty i po południu, kiedy z niej wracał. Podczas pobytu w biurze raczej nie mógł niepostrzeżenie mordować współpracownic i interesantek. Tak mi się wydawało. Ale z drugiej strony, mógł przecież w każdej chwili wyskoczyć z pracy i kogoś zarżnąć, więc siedziałem w aucie zaparkowanym na stacji, po przeciwnej stronie drogi, i obserwowałem wejście do budynku. Pogryzałem kanapki, robiłem przegląd (przesłuch?) kaset, które po usunięciu pajęczyn odkryłem w schowku, i co chwila przez lornetkę lustrowałem perymetr ze szczególnym uwzględnieniem owego głównego wejścia. Próbowałem też wykombinować, jak kolesia przyskrzynić i jak doprowadzić go przed oblicze sprawiedliwości. Najlepiej tak, żeby przy okazji mnie też nie pokroił i nie zutylizował.

Cały czas lało. Ulicami płynęły potoki i wszystko razem, z pogodą na dokładkę, było dość nużące, więc dla relaksu fantazjowałem na temat co ładniejszych kobiet, które podjeżdżały tankować. Fantazje również, generalnie rzecz ujmując, obracały się wokół węża i tankowania. Ale byłem w pracy, bądź co bądź, więc zaraz łapałem wiekową rosyjską lornetkę i dawaj obserwować, czy Rzeźnik gdzieś się nie wybiera.

Dwa poprzednie dni przesiedział w biurze od rana do nocy. Ta regularność zaczynała mnie drażnić, nie mówiąc o nudzie. Ostatnie, niemałe sukcesy spowodowały, iż głodny byłem akcji, emocji, adrenaliny, a nie gnicia na stacji benzynowej i słuchania po raz pierwszy od czasów liceum taśm Big Cyca albo RATM. Rutyna zabija inicjatywę, pożera ikrę. Tak jest. Właśnie doszedłem do tego oczywistego stwierdzenia, kiedy przez szkła powiększające zauważyłem zwalistą sylwetkę Kowalskiego wychodzącego przez szklane drzwi biurowca. Było to tak zaskakujące, że zadławiłem się batonem, który spożywałem w ramach trzeciego śniadania.

Odzyskawszy oddech, uruchomiłem silnik mojego poloneza i ruszyłem. Wepchnąłem się przed ruszającego właśnie spod dystrybutora minivana, którego kierowca nacisnął klakson i trzymał go przez parę dobrych sekund. Byłem na służbie i nie miałem czasu na dyskusje, więc pokazałem mu jedynie przez tylną szybę, co myślę o całej tej sytuacji, i wpadłem na dojazdówkę do skrzyżowania, akurat na czerwone. Wiedziałem, że wóz Kowalskiego, srebrne bmw, stoi na parkingu służbowym na tyłach budynku i lada chwila ukaże się po drugiej stronie skrzyżowania. Do tej pory zawsze wyjeżdżał tą stroną, skręcając w Armii Krajowej i dalej, w stronę centrum. Takim sposobem mogłem mu wskoczyć na ogon, podobnie jak wczoraj i przedwczoraj. Wciąż stałem na czerwonym, kiedy wśród strug deszczu zobaczyłem srebrne auto, które wyjechało z parkingu w prawo i za chwilę zniknęło mi z oczu, ponownie skręcając za róg w prawo. Kurwa mać. Cholerny pech. Przecież śledzenie polega na tym, że nie powinno się tracić z oczu obiektu. Tego pewnie uczą w Quantico. Szlag by trafił wszystkie czerwone światła świata. Ciśnienie podskoczyło mi do niebezpiecznych rejonów. A, co tam. Pościg to pościg. Wyczekałem na odpowiedni moment i, olewając czerwień wciąż rozlewającą się na kroplach deszczu na przedniej szybie, wystartowałem z kopyta zza autobusu linii 173, a przed sznurem osobówek. Znów klaksony, ale nie zwracałem na nie uwagi, przemykając pędem przez drugą nitkę ulicy. Potem do skrzyżowania, w prawo śladem ściganego, aż na mokrej nawierzchni zarzuciło ciężkim dupskiem wytworu polskiej myśli technicznej. Szczęściem nikt nie jechał z przeciwka. Pędziłem w deszczu, przerzucając biegi, omijając co większe kałuże (pod którymi mogły czaić się co większe dziurzyska) i wypatrując srebrnych beemek. Widać niefart zgubiłem na poprzednich światłach, bo przed skrzyżowaniem z Piastowską dojechałem do stojącej kolumny samochodów, a Kowalski stał przedostatni; przedzielał nas stojący w chmurze spalin czerwony fiat punto. W radiu cały czas donosili o ulewach. Chyba sobie jaja robili. Wiadomości, kurwa mać.

Nie dałem się zgubić, nie urwał ogona. Sporą zasługę miały w tym zapewne korki. Nasi kierowcy dostają paraliżu na widok najlżejszej mżawki na przedniej szybie. Wtedy pięć samochodów na pustej alei tworzy korek. Nie wiem, w jaki sposób, ale tak to działa. Więc wlokłem się za nim ulica za ulicą, skrzyżowanie za skrzyżowaniem i tak, po przeszło półgodzinie zajechał, a ja za nim, na parking supermarketu przy ulicy Pilotów. Zaparkował i bez parasolki potruchtał do środka. Znalazłem wolne miejsce i ruszyłem za nim.

Chwyciłem koszyk i wszedłem na salę. Może i trzeba było zostać w samochodzie i czekać, aż wyjdzie, ale od tego siedzenia zaczynałem już dostawać odleżyn.

Zauważyłem go przy warzywach. Trzymając się za jakąś grubą paniusią, przemieściłem się w jego kierunku. Zatrzymał się przy bananach. Paniusia parła dalej, pewnie na salcesony, bo też nie wyglądała na amatorkę włoszczyzny. Przyczaiłem się za regałem z herbatnikami i żelowymi miśkami. Wybrał jakieś owoce i warzywa i ruszył dalej. Ja za nim. Tylko spokojnie, Keller, tylko fachowo. Adrenalina buzowała mi w uszach. Na wędlinach wziął piętnaście deko konserwowej i trochę parmeńskiej. Ja zająłem miejsce w kolejce parę osób za nim, więc, coby nie wzbudzać podejrzeń, wziąłem kilka kabanosów. Mięsny ominął, ja chciałem wziąć kurczaka, ale służba nie drużba. Kabanosy starczą. „Może na dłużej zatrzyma się przy alkoholowym" – myślałem. On tymczasem wrzucał do koszyka jakieś serki, mleko, potem zniknął mi między makaronami a rybami. Tego jeszcze brakowało, żebym go zgubił przy wędzonych makrelach. Przeleciałem do drugiej, głównej alejki i za kolejnym regałem mignął mi brązowy, poznaczony ciemnymi smugami wody płaszcz. Ja – hyc –

po drugiej stronie regału. Skóra ścierpła mi na czubku głowy. Gdyby teraz wyszedł z drugiej strony, znaleźlibyśmy się nos w nos... Ale chyba nie zarżnąłby mnie tak w markecie, między półmiskami a mopami, wśród ludzi, wśród kamer... Cóż, nie ryzykują tylko ludzie mali duchem, Keller. Może coś zauważysz, może coś ci wpadnie w oko, może wybiera tu sobie ofiary... Kto wie, co siedzi w głowach tych porypańców.

Cicho jak mysz podkradłem się do końca regału i wyjrzałem zza winkla. Był jakieś pięć metrów ode mnie. Stał pochylony i przeglądał plastikowe butelki, butle czy inne pojemniki. W końcu wziął jedną, dwie, trzy takie butle i odwróciwszy się, ruszył w moim kierunku. Rzuciłem się do tyłu tak, że strąciłem ręką jakieś cholerne pudełka, tubki, foliowe torebki, które rozsypały się po podłodze, ja tymczasem sprintem obiegłem regał tak, że gdy on znalazł się u tamtego szczytu, ja byłem już po przeciwnej stronie. Widziałem, zerkając zza półki, jak rozglądał się przez chwilę, po czym ruszył w powrotną drogę. Pot wystąpił mi na czoło. Mało brakowało. Podleciałem do miejsca, skąd wyciągnął te butle. Były spore, takie litrowe przynajmniej, a na etykiecie widniało: „Płyn do udrażniania rur kanalizacyjnych. Uwaga! Środek silnie żrący!" i dalej skład, sposób użycia i takie tam. Kurwa mać. Po kiego mu trzy takie butle? Kto ma tyle rur w chałupie? I to tyle zatkanych rur? Cuchnęło mi tu grubszą aferą. Tak jest, kroiło się coś poważnego. Mój wzrok znów padł na etykiety w gównianych kolorach. Żrący? Żrący! Tak jest! Pewnie przestraszył się tego całego szumu w mediach. Każdy śmietnik w tym mieście obstawiony jest przez gliniarza. Co zrobić z kolejnym trupem? Rozpuścić, nic prostszego. Tak robią na filmach. A to kawał porypańca! A może to dla ciebie, Keller? Ciarki przeszły mi po plecach, jajach, nogach, karku, wszędzie. Może jednak policja to nie taki zły wybór. Tu gdzieś musi być jakaś komenda. Tak jest.

Ale kryzys przeszedł mi równie szybko, jak nadszedł. Nic z tego. Dorwę cię, gnoju, z pomocą czy bez pomocy służb mundurowych. Już ja cię, kurna, rozpuszczę.

Z oczami dookoła głowy ruszyłem w kierunku wyjścia. Nigdzie go nie było. Zanurkowałem na alkohole i wziąłem butelczynę Jacka Daniel'sa. Przyda ci się coś na ukojenie nerwów, Keller. Zasłużyłeś.

Kowalski był już przy jednej z kas i pakował zakupy. Stanąłem w najmniejszym ogonku i zapłaciwszy za kabanosy, wypadłem na deszcz. Miałem farta, zamykał bagażnik i wsiadał do auta. Pognałem niczym medalista olimpijski do mojego poloneza i już zaraz wyjeżdżałem z parkingu, dwa samochody za srebrnym bmw. Nie zatrzymując się już po drodze (nie licząc jednego, ciągłego stania w korku), dotarliśmy w znane mi już okolice. Kowalski otworzył pilotem bramę na swoje podwórko i wjechał, ja tymczasem, zgasiwszy światła, stałem nieopodal, po drugiej stronie.

Otworzyłem flaszkę i łyknąłem zdrowo. Deszcz nie ustawał w wysiłkach, aby potopić nasze żałosne dupska. Do kompletu było ciemno, jak wiadomo gdzie. Nie wiedziałem: jechać, stać, siedzieć, czy co, no to jeszcze się napiłem i wpatrzyłem w smugi deszczu.

Ocknąłem się z głową na kierownicy. Nie miałem pojęcia, która godzina i ile spałem. Flaszka stała sobie na siedzeniu pasażera. Nie byłem pijany, więc to musiał być stres. Stres, nerwy, zabójcy czyhający wokół, zdradzające żony, niezbyt udolni policjanci i ja w środku tego wszystkiego. Ostatni sprawiedliwy. Tak jest. Wszystko naraz zwaliło mi się na głowę. Organizm nie daje rady. Domaga się snu. Nic dziwnego. A na dodatek to śledzenie wykańczało mnie nerwowo. Potrzebowałem wakacji. Dwóch tygodni snu i drinków z palemką. Tak jest. Popiłem, by przeniknąć wilgotne ciemności za oknem. Wyglądało na to, że deszcz ustał. Przynajmniej tyle. Dotąd wszystko, łącznie z pogodą, było do dupy. Przynajmniej ten jeden czynnik mógłby przestać być przeciwko mnie.

Odstawiłem flaszkę i wyszedłem na chłodne powietrze nocy. Zapaliłem lucky strike'a na nerwy. Dobra jest, Keller. Twój ruch. Ten piździelec tam po drugiej stronie ulicy pewnie kombinuje, jakby tu kogoś pozbawić głowy. Teraz nie możesz wziąć sobie urlopu. Trzeba załatwić tego gnoja raz a dobrze. Zaaresztować go, czy co. Wyniuchać, co knuje. Łyknąłem jeszcze, aby oprzytomnieć do cna i, udając spacerowicza, przeszedłem na drugą stronę, po czym ruszyłem chodnikiem. Nad drzwiami frontowymi świeciła lampka, poza tym nie było żadnych innych oznak bytności gospodarza. Samochodu też nie. Kurwa mać. Pewnie gdzieś pojechał, kiedy uciąłem sobie drzemkę. Pewnie kogoś teraz kroi. No tak. Zawaliłeś, Keller. Nie pierwszy raz.

Ale trzeba było się upewnić, że go faktycznie nie ma. Bramka była otwarta.

Wślizgnąłem się do środka i przypadłem plecami do ogrodzenia tak, żeby cały czas mieć wszystko na oku. I w razie czego spierdzielić w tempie geparda. Sunąłem plecami przy płocie jak jakiś kretyn, najpierw do rogu, a potem dalej, w głąb działki. Mijałem krzaczki iglaste, liściaste i bliżej niezidentyfikowane. Drzewko tu, drzewko tam. Tak pełzłem krok za krokiem. Cały napięty jak struna. Jak cholerna wysoka E w stratocasterze. Ze dwa razy wpadłem do dołu po kolana – albo wykopali je specjalnie, żeby intruz połamał sobie nogi, albo zamierzali posadzić kolejne krzaczki.

Poza wspomnianą lampką nad wejściem panował półmrok, rozświetlany przez uliczne latarnie oraz światła płynące z sąsiednich działek. Zbliżyłem się do rogu budynku i z tego kąta zauważyłem, że drzwi garażowe są lekko podniesione, z pozostawioną szparą na piętnaście centymetrów. Wtedy wpadłem do kolejnego dołka i wtedy, tuż-tuż za moimi plecami, JAK COŚ NIE RYKNIE! Dusza uleciała mi gdzieś na wysokość kopca Kościuszki, a reszta padła plackiem do przodu, prosto w krzaczek. Bardzo mały i bardzo iglasty. Dusza zrobiła kontrolny oblot okolicy i wróciła na swoje miejsce, a ja znów zacząłem oddychać. Tętno miałem jak nic ze dwieście pięćdziesiąt na pół minuty. Spomiędzy sztachet ogrodzenia i spomiędzy iglaków po drugiej stronie wyzierał wyjątkowo szkaradny pysk jakiegoś miniaturowego buldoga, cały biały, z czarnymi oczami wlepionymi we mnie. Co tam, czarnymi, to paskudztwo świdrowało mnie, słowo chonoru, ślepiami czerwonymi jak u samego diabła! Z czeluści gardła wydobywało mu się ni to gulgotanie, ni to charkot. A najgorsze było to, że bestia się uśmiechała. Dałbym babci uciąć rękę, że skurwiel chichotał, zadowolony ze swojego kawału. Wstałem z piekącą i podrapaną twarzą. On cały czas rechotał. Pokurcz nie był nawet wielkości piłki do kosza. Gdyby nie płot, kopnąłbym go tak, że doleciałby do Kryspinowa. A przynajmniej, cholera, znalazłbym jakiś patyk i podźgałbym go w różne delikatne miejsca. Prawie tu zszedłem, a on się śmieje. Ale miałem zadanie. Zemsta musiała poczekać.

Uspokoiłem się na tyle, że mogłem zrobić parę kroków bez ryzyka samoistnego upadku z powodu trzęsących się członków, po czym przylgnąłem do ściany budynku. Na szczęście pieprzone psisko najwyraźniej uznało, że kawał się udał i nie darło się więcej. Nie było co czekać na Boże Narodzenie. Jak cicho się dało, podniosłem nieco drzwi do garażu, zwiększyłem szparę między nimi a podłożem i – hyc – już byłem w środku.

A w środku nie było widać absolutnie nic. Postąpiłem krok do przodu z wyciągniętymi rękami i od razu wpadłem na stojący samochód. Karoseria była skropiona deszczem. Dobra nasza, Keller. Teraz ostrożnie, tylko ostrożnie. „Trzeba było wziąć latarkę, kretynie" – pomyślałem. Przeszedłem wzdłuż auta w kierunku, gdzie moim zdaniem mogło być wejście i kontakt, co rusz potykając się o przeróżne przedmioty. Pudła, kije, czego tam nie było. „Jak on wjeżdżał do tego garażu?" – myślałem. – „Pewnie z zapalonym światłem" – odpowiadałem sobie. W końcu dotarłem do ściany, natrafiłem na odrzwia i jednocześnie na obły plastikowy kształt przełącznika świateł. Pstryknąłem, wokół rozbłysła jasność i kiedy pomyślałem: „po kiego grzyba ja w ogóle tu wlazłem", w tym samym momencie, kątem oka rejestrując ruch, oberwałem prosto w łeb i zapadłem się głęboko, głęboko...

Ocknąłem się na krześle, z rękami związanymi za oparciem. Bolały mnie barki i łokcie. Bolało mnie w krzyżu. A najbardziej bolała mnie głowa. W ogóle mało co mnie nie bolało. Musiał mi przywalić czymś twardym, bo wokół rany czułem pozlepiane włosy i zaschłe strumyczki krwi na karku. Drugi raz w ciągu kilku ostatnich dni oberwałem w głowę, niemal w to samo miejsce. To się musiało odbić na stanie moich nerwów. Spróbowałem poruszyć nogami, ale widać też mi je przywiązał. Krzesło stało na środku jakiegoś wilgotnego pomieszczenia z betonową podłogą, sufitem i ceglanymi ścianami. Cuchnęło stęchlizną, starością, stuletnim kurzem, no, wszelkim syfem. Gówna nie czułem. To dawało jakąś nadzieję. Głupio byłoby mi myśleć o ucieczce z pełnymi gaciami. Tak jest. Ucieczka. Trzeba było się stąd zrywać. Rzeźnika nie było. Pewnie poszedł walić gruchę do lustra, albo coś w tym stylu. A może po prostu ostrzył tasak. Rozejrzałem się wokół. Czego mogłem się spodziewać u seryjnego mordercy? Łańcuchy, haki, ślady posoki na betonie, zaschłe półtusze ofiar jak w katowniach Saddama? Kolekcja wszelakich wymyślnych narzędzi do sprawiania bliźnim cierpień jak w kazamatach Savaku? Cóż, to był nasz swojski, polski z dziada pradziada wariat-morderca. Przy ścianach stały regały, a na regałach stały słoiki z kiszonymi ogórkami, kompotami z czereśni, rydzami w occie i wszelkimi innymi wekami, jak babcia przykazała. Obok, na ziemi, stał nawet worek z ziemniakami. I skrzynka jabłek. Czułem się znieważony. Być zarżniętym w spiżarce to jednak trochę obciach. Mógł przynajmniej postawić w rogu siekierę albo zamarynować cycek jednej z tych biednych dziewcząt, żeby było bardziej dramatycznie. A tak, wszystko to było tak żałosne, że aż śmieszne. Zginiesz wśród przetworów, Keller. Stary ci przepowiadał, że skończysz pod mostem. Ale czegoś takiego, to nawet on nie przewidział. Poruszałem rękami i nogami, ale nic z tego. Może i był psychopatą, ale węzły znał całkiem niezłe.

Nudziłem się tak z kwadrans, kiedy miłośnik kiszenia zaszczycił mnie swoją obecnością. Nic się nie zmienił. Wciąż wyglądał jak przygłup. Czerwony na ryju przygłup.

– No i co, panie detektywie? Panie wielki detektywie? Wpadłeś jak śliwka!

– W kompot?

– Tak jest! Tak jest! – zachichotał. – Trzeba było grzecznie oddać zdjęcia, jak o to prosiłem!

– To o to chodzi? Człowieku, bierz sobie te pieprzone zdjęcia! Rozwiąż mnie tylko, to skoczę do biura i wezmę…

– Trzeba było oddać, jak prosiłem – powiedział tonem dziecka, któremu drugie gwizdnęło w piaskownicy grabki. Racjonalna rozmowa była równie bezcelowa, co mało zabawna. Ale trzeba było grać na czas. Tak mówią zawodowcy w książkach.

– Tamte zdjęcia były do niczego. Chłopie, daj mi parę dni, a taki album ci przygotuję, że go oprawisz w ramki i będziesz oglądał w długie zimowe wieczory…

– Gówno tam zrobisz. Wpadłeś jak śliwka! – Zaczął się powtarzać. „Jest zdenerwowany" – myślałem. – Taa. Ty w ogóle już nic nie zrobisz! Ciebie już nie ma!

Nic na to nie odpowiedziałem, bo cóż można było powiedzieć.

– Trzeba było je dać, kiedy ładnie prosiłem. A tak, już cię nie ma!

– Koleś, co ty z tymi zdjęciami? Kroisz bogu ducha winne babki, rozrzucasz je po mieście, a najbardziej obchodzi cię, że twoja żona gziła się z jakimś studenciakiem? Człowieku, jakby matka natura wiedziała, czym grozi ewolucja, która cię stworzyła, to nie zeszlibyśmy z drzew! Kurwa, tam z drzew, nie wypełzlibyśmy z morza!

Zmarszczył czoło i w grymasie obnażył żółte zęby. Chryste, jaki on był paskudny. Kawał obrzydliwego skurwysyna.

– Trzeba było je dać! – powtórzył po raz enty. Zaczynał mnie nudzić. – A tak, to wszystko twoja wina!

– Że jak?

– Twoja wina. Tak jest! Gdybym miał zdjęcia, normalnie bym się rozwiódł i tyle. A tak, zmusiłeś mnie, żebym zabijał te wszystkie kobiety! Żebym mścił się na tych wszystkich kobietach. To wszystko twoja wina! Trzeba było je dać.

Zatkało mnie. Wiedziałem, że nadawał się do wariatkowa, ale żeby aż tak? Z tej dezorientacji zacząłem zbijać jego pokrętne wywody żelaznymi argumentami.

– Po pierwsze, ukatrupiłeś przynajmniej ze dwie babki, zanim ten idiota Kudłaty cię do mnie przyprowadził. To *primo*. Chciałeś się rozwodzić, trzeba się było rozwodzić! Po kiego potrzebne były ci jakieś zdjęcia? Teraz o rozwód łatwiej niż o zdjęcie gazomierza. To *secundo*. Spotkałem w życiu paru pierdolniętych sukinsynów, ale ty bijesz wszelkie rekordy. A to po trzecie.

Nie byłem pewny, czy obrzucanie obelgami seryjnego zabójcy w podobnych okolicznościach jest wskazane.

– ZAMKNIJ SIĘ! – ryknął. – Zamknij się już lepiej! Ktoś się ciebie o coś pytał w ogóle!? Ktoś się pytał?

– Kretyn.

– Że co?

– Gówno tam z ciebie, a nie żaden wielki złoczyńca. Ze śmiechu zajady mi się robią.

– Poczekaj tu – wysyczał. Co o dziwo było dużo bardziej niepokojące niż darcie ryja. – Poczekaj sobie tutaj. Zaraz przyjdę. I przyprowadzę ci kogoś do towarzystwa. Tak jest. Do towarzystwa. Jeszcze zobaczymy.

Zniknął za drzwiami. Byłem w czarnej dupie. A najgorsze w tym wszystkim było to, że musiałem z nim gadać. Już bardziej ulżyłoby mi, gdyby od razu pozbawił mnie głowy. Przynajmniej nie musiałbym go oglądać. „Trzeba było zostać na uczelni, Keller. Plewiłbyś trawniki, przystrzygał żywopłoty, popijał z piersiówki, podglądał studentki. A tak, zginiesz w tej kretyńskiej piwnicy z rąk tej żałosnej podróbki Charlesa Mansona. I nikt nie uroni nawet pieprzonej łzy".

Dumałem tak nad swoim życiem i nad ogólną kondycją ludzkości, kiedy wrócił. Nie sam. Prowadząc ją przed sobą, momentami unosząc bardziej niż prowadząc, przywlókł swoją małżonkę. Była związana sznurem w równych odstępach, od kolan po ramiona. I miała zaklejone plastrem usta. Patrzyła na mnie nieprzytomna niemal ze strachu. Mężuś pokazał prawdziwe oblicze, co nie? Przynajmniej nie może pani mówić, że po ślubie zamienił się w nudziarza...

– Przyprowadziłem ci towarzystwo, Keller! – Aż promieniał z radości. Pewnie stanął mu jak grotmaszt.

– Kowalski, w życiu nie widziałem żałośniejszego impotenta. – Jako że w obecnej sytuacji nie mogłem mu nawet naskoczyć, postanowiłem go dalej obrażać. Nie miało to większego sensu, ale wstawanie co dzień o szóstej rano do roboty też nie ma, a dziewięć dziesiątych ludzkości to robi. – Przyznaj się, nie staje ci od podstawówki! Pewnie dlatego kroisz te biedne babki. Ty się ich zwyczajnie boisz, co?

Łypnął na mnie wściekle. Szczęka zaciskała mu się frenetycznie, aż słychać było zgrzytanie zębów.

– Ogłuchłeś? Pytałem się, czy ci jeszcze staje?

– Ja cię... zabiję, Keller!

– Nie bardzo, taa?

– Ja cię...

– Kutas ci się rusza dopiero wtedy, kiedy leci krew, czy co? Teraz przyszedł czas na twoją biedną żonę, tak? Tylko co ja tu w takim razie robię? Przerzucasz się na chłopców?

– Na chło... CHŁOPCÓW? – ryknął, jednocześnie rzucając związaną żoną o ścianę. Upadła prosto na worek z kartoflami. Podskoczył do mnie i chwycił mnie za fraki. – JAKICH CHŁOPCÓW?

– To ja się pytam, jakich. Starszych, młodszych, chudziny czy raczej pulchnych?

– JA CIĘ... – Poderwał mnie razem z krzesłem tak, że zawisłem w powietrzu. Miał krzepę w rękach, trzeba mu było przyznać.

– Pulchniutkich, co?

Potrzymał mnie tak w górze, purpurowy na ryju, zionący cebulą i czymś nieokreślonym, jakby naftą, po czym rzucił mnie razem z krzesłem na ziemię tak, że zatrzeszczało na wszystkich łączeniach. Ja też zatrzeszczałem na wszystkich łączeniach. „Dawaj, Keller – myślałem. – Dawaj, chłopie".

– Nie ma się czego wstydzić. Ludzka rzecz. Wielu artystów to homoseksualiści.

– Co ty mi tu pierdolisz! Nie jestem pedałem! – ryczał nade mną. Wymowę miał nader soczystą. Gdyby nie związane ręce, machałbym nimi jak wycieraczkami. – Lubię panienki! Panienki! Rozumiesz, cioto? Nigdy nie dotknąłem chłopa! Od zawsze rżnąłem panienki. Od podstawówki posuwam panienki! Od czternastego roku życia posuwam panienki! Ciekawe, kiedy ty to robiłeś pierwszy raz, pewnie w wieku dwudziestu pięciu lat! Tak jest! Ja już od siódmej klasy uprawiam seks. Pierwszy raz to robiłem tutaj, w tym domu!

– I co, miły był?

Tym razem podniósł mnie niemal nad głowę. Pieprznąłem o ziemię tak, jakbym skakał ze spadochronem bez spadochronu. Zatrzeszczało wszystko, łącznie z ogórkami w słoikach.

– Zaraz cię skończę, koleś! Już teraz! – ryknął i wybiegł.

Nie miałem zbyt wiele czasu.

Przechyliłem się w przód i stanąłem na ścierpniętych nogach. „Stanąłem", to może za mocno powiedziane. W dalszym ciągu miałem pozycję krzesła przytroczonego do mnie. Albo na odwrót. W każdym razie nabrałem powietrza i podskoczyłem. „Podskoczyłem", to też zbyt śmiałe określenie; po prostu, tak gdzieś na kilka centymetrów, oderwałem się od podłogi i całym ciężarem, pokładając nadzieję w obrosłym tłuszczem bandziochu, na który pracowałem wytrwale, połykając hektolitry piwa, jedząc tony boczku, frytek, śmietanowych sosów i przez lata biegając jedynie do lodówki, otóż całymi swoimi osiemdziesięcioma siedmioma kilogramami, razem z krzesłem, wyrżnąłem o ziemię. Coś zachrzęściło mi w krzyżu, ale nadwyrężony mebel również zatrzeszczał. Czułem, że jeszcze raz i rozpadnie się w cholerę. Rozhuśtałem ciało, stanąłem ponownie i – stęknąwszy – z całych sił, jakby od tego skoku zależało moje życie (bo przecież w końcu zależało), jakby od tego skoku zależała pomyślność wszystkich browarów w Europie, jakby od tego skoku zależały dalsze losy efektu cieplarnianego (byłem zwolennikiem tego procesu), rąbnąłem ponownie o podłoże. Krzesło poszło w drzazgi. Tuż za krzesłem spotkanie z betonową matką ziemią zaliczyłem ja sam.

Jak tylko oprzytomniałem, pozbierałem się z gleby i podniosłem, wyplątując się ze sznurków, pętli i kawałków drewna. Drzazgę jednej z nóg krzesła, nie wiadomo skąd, miałem nawet w zębach. Byłem obolały, odrętwiały i poobcierany. I wkurwiony. Pani Kowalska z worka ziemniaków patrzyła na mnie ze zgrozą w oczach. Siedziała taka skrępowana, związana, zakneblowana. Z tymi cyckami odznaczającymi się pod koszulką... „Przestań, Keller, jeden zboczeniec na sto metrów kwadratowych wystarczy". Podszedłem do niej i zerwałem plaster z jej ust. Wrzasnęła. A ponoć im szybciej, tym bardziej bezboleśnie.

– Przyjemniaczek z tego pani męża – powiedziałem, podczas gdy rozsupływałem kolejne węzły. – No i było się zadawać z tymi narciarzami? Przez panią mógł nas pokroić na filety. Zresztą zaraz tu pewnie będzie z piłą łańcuchową. Macie piłę łańcuchową?

– Co...? Jaką? – Wzrok miała nieprzytomny i przerażony. Jak tylko uwolniłem ją z ostatnich więzów, upadła bezwładnie na worek kartofli. Pięknie, Keller. Jedną ręką będziesz musiał podtrzymywać mdlejące kobity, a drugą opędzać się od rzeźników. Nie trzeba było, oj nie trzeba było brać się za tę sprawę. Ale mądry Polak po tym, jak już gówno wpadnie do wentylatora.

– Dobra. Trzeba zwiewać – wyłuszczyłem jej mój plan. – Gdzie ten trep może teraz być?

– Co...?

– Jaki dziś mamy dzień tygodnia?

– Hę?

– Papież woli kremówki czy Wiener Schnitzel?

– ...

Może zadawałem zbyt trudne pytania. Trzasnąłem ją z otwartej dłoni. Nie za mocno, tak w sam raz. Oprzytomniała na tyle, że była w stanie sama utrzymać pion. Rozejrzałem się za jakąś bronią. Resztki krzesła nadawały się co najwyżej na wykałaczki. Poza tym w pomieszczeniu nie było niczego, co z grubsza przypominałoby broń. Wybrałem więc najsolidniej wyglądający słoik z ogórkami.

– Trzymaj się za mną. Tuż za mną, kobieto! – Potrząsnąłem nią za ramiona tak, że głowa latała jej w tył i przód.

– Przestań – powiedziała.

– Idziemy – odparłem. „Dialogi jak w filmie klasy D – pomyślałem. – Nie mówiąc już o głównych bohaterach".

Poszedłem pierwszy, ona za mną. U góry schodów było większe pomieszczenie, z którego prowadził jeden korytarz. Dalej był zakręt, kolejne schody, aż w końcu wyleźliśmy do czegoś na kształt hallu, po którego drugiej stronie – jak pamiętałem z mojej pierwszej wizyty w tym domostwie – znajdował się salon i wyjście na taras. Póki co, nieźle. Ani widu gospodarza. I w momencie, kiedy to właśnie pomyślałem, w drzwiach po lewej stronie stanął on sam we własnej osobie. W ręku trzymał nóż wielkości maczety. A może to była maczeta. Patrzył na nas nierozumiejącym wzrokiem. A potem zaczął iść.

– Uciekaj! – powiedziałem do pani Kowalskiej, a mój głos brzmiał niczym dzwon. No, może trochę pęknięty. – NO JUŻ! UCIEKAJ! – wydarłem się, co w końcu poskutkowało.

Poza naszymi przyspieszonymi oddechami panowała cisza. Kosmiczna cisza. Cisza taka, w której słychać wirowanie planet, pulsowanie kwazarów i syk komet. I w tej ciszy najsłynniejszy – bo jedyny – seryjny morderca XXI-wiecznego Krakowa szedł na mnie z maczetą, by pozbawić mnie głowy i wszystkich pozostałych członków. A potem pewnie wykąpać się w mojej krwi i limfie, czy coś w tym stylu. Ale ja, najlepszy detektyw w tym mieście, stałem twardo, ani na krok się nie cofnąłem. Nie mogłem się cofnąć, bo też za moimi plecami uciekała kobieta, której wina polegała na tym jedynie, że była kobietą, że była żoną owego psychola, no i że puściła się z jakimś młodzieńcem. „Kurwa mać. To ona w takim razie powinna tu stać, Keller – przemknęło mi przez myśl. – No tak. Baby zawsze nas załatwią".

Rzeźnik zbliżał się. Dzierżył maczetę. A ja słoik z piklami.

Wziąłem zamach i z całej siły cisnąłem słoikiem. To był piękny rzut. Trafiłem go prosto między oczy. Szkło i ogórki rozprysnęły się jak odłamki granatu. Poleciał do tyłu i upadł na plecy. Wyglądał jak żółw przewrócony do góry nogami. Niezgrabnie wycierał twarz rękami, a spomiędzy palców ściekała krew zmieszana z wodą z ogórków. Podskoczyłem i chwyciłem upuszczoną maczetę. No i co, do kurwy nędzy, miałem z nią zrobić? Podrapać się pod pachą? Przecież nie mogłem po prostu wziąć i odrąbać mu, dajmy na to, lewej nogi! Mimo zawodu i okoliczności byłem humanistą i naturą wrażliwą.

Rzeźnik z Krowodrzy rozwiał moje wątpliwości, zrywając się na nogi i dając dyla przez najbliższe drzwi. Tego nie przewidziałem.

Trzeba było brać się za pościg. Nie było czasu do stracenia. Wypuszczenie go samopas na miasto, to jak mianowanie pedofila dyrektorem dzielnicowego przedszkola. Ale najpierw musiałem się uspokoić. Byłem roztrzęsiony jak przy ataku malarii.

Barek był w salonie. Nalałem sobie lufę. Potem drugą. To mnie przywróciło do pionu. Tak. Teraz mogłem wrócić do zwalczania przestępczości.

Pani Kowalskiej nigdzie nie widziałem. Ruszyłem z maczetą w dłoni ku drzwiom wejściowym. Nie zrobiłem dwóch kroków, kiedy usłyszałem dźwięk zapalanego silnika. No tak. Może i był masowym mordercą, ale nie imbecylem. Przecież nie będzie zwiewał na piechotę. Rzuciłem się do korytarza, którym czmychnął. Było w nim dwoje drzwi. Wybrałem te na prawo. Wpadłem do kotłowni. Co za gówniany dzień. Mogłem od rana leżeć na kanapie i wspominać panie, z którymi nie udało mi się pójść do wyrka. Jednego dnia by nie starczyło. „Ale skoro wstałeś dziś z łóżka, Keller, zrób coś, jak należy. Zrób coś do końca. Spróbuj nie spieprzyć choć jednej rzeczy".

Skoczyłem do drugich drzwi i w momencie, gdy wpadałem do garażu, mimo oślepiających mnie reflektorów przez otwartą bramę, zobaczyłem samochód stojący na chodniku, niemal za ogrodzeniem. W tej samej chwili usłyszałem wrzask pani Kowalskiej. Wybiegłem na zewnątrz, gnając co sił, ale przez tych kilka sekund, które dzieliły mnie od bramy, rejestrowałem jeden po drugim obrazy, jak klatki filmu, którego jestem świadkiem jako widz i na którego przebieg mam wpływ równy wpływowi widza. Przytrzymywał ją jedną ręką, przyciskając do samochodu, drugą uderzył dwa razy, po czym bezwładną wrzucił na tylne siedzenie; sam wskoczył za kółko i z piskiem ruszył, wycofując się na ulicę w momencie, gdy dognałem do bramy. Zapiszczało znowu. Srebrna beemka skoczyła do przodu, rozpędzając się z każdym ułamkiem sekundy. W geście rozpaczy i bezsilności, a także – co tu dużo mówić – głupoty, rzuciłem maczetą mniej więcej w kierunku samochodu. Leciała pięknym łukiem, obracając się w powietrzu, po czym ze zgrzytem wbiła się w sam środek tylnej klapy bagażnika.

„Gdybyś chciał to powtórzyć, Keller – myślałem – mógłbyś tak próbować do usranej śmierci". Byłem dumny przez jakieś trzy sekundy, po czym dotarło do mnie, że pozbawiłem się broni, jednocześnie zaopatrując w nią Rzeźnika i mogłem zranić albo nawet pozbawić życia panią Kowalską.

Innymi słowy trzymałem swój zwykły, równy poziom. Kurwa mać.

Rzuciłem się w kierunku swojego samochodu. Silnik, dzięki Bogu, zaskoczył od razu. Zawróciłem na cztery razy, bo też polonez ma swoje gabaryty, nie posiada natomiast wspomagania kierownicy. Zawróciwszy, pomknąłem, ile fabryka dała, gnając mokrą, krętą ulicą, gdzieniegdzie rozjaśnianą światłami domostw oraz tymi spośród ulicznych latarni, które akurat nie były zepsute. Wchodziłem gładko w zakręty, dociskałem pedał gazu do podłogi na prostych odcinkach, silnik wył, mnie włosy stawały dęba, nieliczni przechodnie co do jednego pukali się w czoła, a równie nieliczne – na szczęście – inne pojazdy trąbiły i dawały mi sugestie, oślepiając długimi światłami, że jednak trochę przesadzam, i żebym trzymał się swojej połowy szosy.

Wyprzedzałem właśnie wlokącego się busa, przed światłami przy skrzyżowaniu z Piastowską. Bus, hamując, dotaczał się właśnie do zwalniającego tuż przed sygnalizacją samochodu. Przez chwilę równą mrugnięciu okiem dojrzałem, jak światło z żółtego zmienia się na czerwone, a auto stojące u wylotu Piastowskiej zaczyna ruszać, wjeżdżając na skrzyżowanie. W tym samym momencie, po drugiej stronie, rzut maczetą od świateł, spostrzegłem ścigane bmw z ostrzem stojącym na sztorc w bagażniku. Nie było czasu na przestrzeganie przepisów, a tym bardziej norm współżycia społecznego. Przycisnąłem gaz do dechy. Silnik zawył potępieńczo. Przemknąłem obok busa, obok osobówki i, rzucając się całym ciężarem na kierownicę, skręciłem najpierw w prawo, a potem odbiłem w lewo. Gonił mnie chór klaksonów i – zapewne – złorzeczeń. Nie było czasu na tłumaczenia, ani tym bardziej skruchę. Opanowawszy samochód, pędziłem dalej.

Maczeta zafalowała przy rozjeździe z Focha, rozbłysły czerwone światła hamulców, po czym, wraz z całym samochodem, odbiła w prawo. Ja za nią, przemykając mimo czekającej na włączenie się do ruchu dwieście szóstki. Dzieliła nas odległość wielkości przepołowionej wykałaczki. Czułem się jak Frank Bullit.

Jechaliśmy wąskim pasem mokrego asfaltu między zaparkowanymi po obu stronach autami. Widział już dobrze, że go gonię. Że zaraz go dorwę. Że karząca maczeta sprawiedliwości utnie mu jaja przy samej szyi. Wiedział, że mu nie odpuszczę. Nie było takiej możliwości. No, chyba że zabraknie mi paliwa, bo też mój samochód palił swoje dwadzieścia na sto.

Na dobre otrząsnąłem się już ze wspomnienia bycia niemal zaszlachtowanym w tej jego spiżarni. Endorfiny uderzyły mi do głowy. Ja byłem wilkiem, szakalem, gepardem, on – kulawą antylopką. Skurwiel nie miał żadnych szans. Byłem tak rozentuzjazmowany, że aż włączyłem radio, żeby puścić sobie jakąś dobrą muzyczkę w sam raz do pościgu. Jakichś Stoogesów albo, czy ja wiem, Panterę. Tyle tylko, że usłyszeć coś takiego w radiu, to jak skreślić dobrą szóstkę... No więc zamiast czegoś mocarnego i szybkiego, co by mi pomagało brać kolejne zakręty, pani głosem wypranym z wszelkich emocji informowała, że Wisła utrzymuje stan alarmowy i że wylała tu i tu, i że pada, i będzie padać. Wyłączyłem cholerstwo i kontynuowałem pościg.

Ulica powiodła nas w prawo, potem było pod górkę, potem na światłach skręciliśmy w lewo, on przodem, ja – pół sekundy po nim. Gnaliśmy teraz względnie pustą Kościuszki w kierunku Jubilata. Było sporo ludzi, ale głównie pieszych – ruch na drodze jakby ustał. Żadnych samochodów, żadnych tramwajów – tylko my dwaj. No i git. Szybciej dorwę fagasa.

To była długa prosta, długa, ostatnia – jak się okazało – prosta. Grzaliśmy tak jeden za drugim, a skupiając się na skracaniu dystansu, migające światła radiowozów zauważyłem dopiero w pobliżu alej. Droga była zablokowana, wokół, na chodnikach coraz gęstszy tłum. „O co chodzi?" – pomyślałby pewnie ktoś lepiej wychowany. Ja zadałem to pytanie w dalece mniej parlamentarnej formie.

Blokada?

Blokada, a jakże.

Tyle że nie o Rzeźnika tu szło, a o królową naszych rzek, która właśnie ten dzień sobie wybrała na próbę opuszczenia koryta. Zablokowano dojazd do mostu, bo lada chwila miał się urwać i popłynąć do Gdańska.

Ale o tym nie wiedziałem, zarzucając przekleństwami zgodnie z rytmem harców tyłu mojego pojazdu, kiedy starałem się nie staranować blokady. Beemka wjechała na krawężnik i też się zatrzymała. Wypadłem na zewnątrz, Rzeźnik tak samo. Służby drogowe i przechodnie gapili się. Skoczyłem w jego kierunku, a musiałem wyglądać na wkurwionego. Zawahał się, po czym spróbował wyrwać maczetę z bagażnika. Siedziała mocno, więc stał jeszcze chwilę, a kiedy byłem ze cztery kroki od niego, dał w długą. Teraz ja z kolei spróbowałem swoich sił, jak pieprzony król Artur, przemknęło mi, ale gdzie tam, ani drgnęła. Ma się ten rzut.

Otworzyłem drzwi i pomogłem wysiąść pani Kowalskiej.

– W porządku?

Kiwnęła głową.

– Idź do nich. – Wskazałem głową w kierunku stojących nieopodal strażaków, którzy mieli nieco mniej bezmyślny wyraz gęb niż pozostali gapie. I pobiegłem za Rzeźnikiem.

Przedarł się przez tłum stojący na chodnikach i na drodze, po czym przeskoczył przez ustawione, bo ja wiem, co to było, takie wielkie kosze z piaskiem, ustawione pewnie po to, żeby woda wlała się do miasta trzy minuty później, niż zrobiłaby to bez nich. Przeskoczył i pobiegł pustym mostem. Nie było czasu na rozmyślania ani tym bardziej na fajkę, no więc skoczyłem za nim i już biegliśmy jeden za drugim, pusty most, po obu stronach tłum gapiów, coś wykrzykiwali, służby mundurowe to nawet się wydzierały. Biegliśmy, a po obu stronach mostu, w wieczornych światłach miasta – ogrom wody, brunatnej wody z płynącymi w jej nurtach śmieciami, oponami oraz wszelkim innym syfem tego pięknego kraju.

Rzeźnik dobiegł do środka mostu, który w tym miejscu najbardziej drżał pod naporem wody. Dobiegł i przystanął przy barierce, zdyszany i czerwony na twarzy. Smugi zaschniętej krwi znaczyły mu policzki. Ja pewnie też byłem zdyszany i czerwony.

– NIE… ZBLIŻAJ SIĘ! – wydarł się na mnie. Dobra, koleś. Dobra. Ostateczna rozgrywka. Ty i ja. Tu i teraz. Jak dwóch kowbojów w samo południe. Jak Ellen Ripley i obcy. Jak Franz Maurer i jego kolejni najlepsi przyjaciele. Tak jest. To będzie pojedynek godny nagłówków w gazetach. Na oczach tych wszystkich ludzi. Ty i ja. Teraz i tu. Nazywam się Filip Keller, chuju, i jestem najlepszym detektywem w tym mieście. Najpierw skopię ci tyłek, a potem zaaresztuję i doprowadzę przed oblicze sprawiedliwości. A potem będą wywiady, gratulacje i nagrody ministra spraw wewnętrznych. Może nawet trafi mi się jakaś niezła dupa. Otóż to.

Podskoczyłem i z całej siły kopnąłem go w jaja. Złapał się za krocze, a wtedy przywaliłem mu z piąchy w ryj. Odrzuciło go do tyłu, przeleciał przez barierkę i wpadł do wody.

Kurwa mać.

Tego nie przewidziałem.

Dopadłem do barierki i wytężyłem wzrok. Nic nie widziałem, oprócz większych i mniejszych śmieci, materiałów budowlanych oraz odpadów organicznych w postaci utopionej trzody chlewnej. Wynurzył się w końcu z piętnaście metrów dalej, trzymając się albo jakiegoś pniaka, albo półtuszy wołowej. Nurt był taki, że po chwili znikł mi z oczu.

Zapaliłem lucky strike'a i poszedłem powoli z powrotem.

Siedziałem w biurze i piłem herbatę z wiśniówką. Po tych wszystkich gonitwach w jesiennym chłodzie nabawiłem się zapalenia oskrzeli. Z całej tej afery to było jedyne, co wyniosłem. A i tak mogłem mówić o szczęściu. Jak to powiedział Rzecznik Małopolskiej Policji: „Nieodpowiedzialne jednostki", czyli ja, „na własną rękę próbowały wyręczać uprawnione do tego służby". Poza protokołem, kiedy na komendzie już opowiedziałem wszystko i jak na spowiedzi, usłyszałem, że powinienem być szczęśliwy, że skończyło się na kopie w tyłek. Że niby mogłem być przedmiotem postępowania dowodowego. Żadnej wdzięczności. Tak to jest, gdy człowiek z własnej, nieprzymuszonej woli podejmuje wysiłek, stara się, dopłaca do interesu, a nawet niedojada. Prawdziwi bohaterowie pozostają w cieniu.

Na biurku leżała gazeta. Nagłówek darł się: „RZEŹNIK Z KROWODRZY SCHWYTANY PRZY PRÓBIE UCIECZKI WPŁAW". I dalej opisane, jak to bohaterscy stróże prawa wyłowili go przy moście Kotlarskim. Ani, kurwa, słówka o mnie. To się nazywa wdzięczność miasta dla zasłużonych obywateli.

Popijałem wzmocnioną herbatkę, trując bakcyle, gdy zadzwonił telefon. Odruchowo chwyciłem słuchawkę, ale po namyśle wyłączyłem cholerstwo i postanowiłem dać sobie spokój. Pieprzyć to, Keller. Idź na chorobowe. W końcu im mniej ambicji, tym lżej w życiu. Popiłem. Może i była to oszukańcza gra, w której wszyscy dostawaliśmy po dupie. Ale w końcu – kto ustalał kryteria? Trzeba było robić swoje. Nastawiłem wodę na kolejną herbatkę.

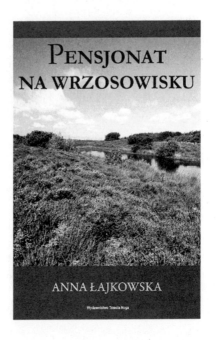

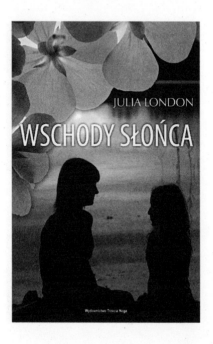

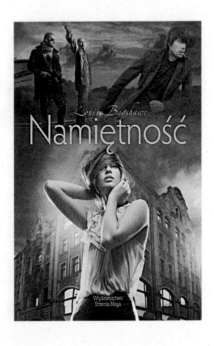